十年钻石版

S0-AUW-687

小学奥数 A版

举一反三

【每天15分钟】

主　编　蒋　顺　李济元

编　写　宋　洁　李济元　陈建芳

　　　　查　艺　徐建萍　张　华

　　　　张　琳　达　丽

动画创作　田小清

1年级

陕西出版集团

陕西人民教育出版社

图书在版编目(CIP)数据

小学奥数举一反三：A版. 一年级／蒋顺，李济元主编. －6版. － 西安：陕西人民教育出版社，2012.5
ISBN 978－7－5450－1568－3

Ⅰ. ①小… Ⅱ. ①蒋… ②李… Ⅲ. ①小学数学课－习题集 Ⅳ. ①G624.505

中国版本图书馆 CIP 数据核字(2012)第 064842 号

小学奥数举一反三　A版
一年级
蒋顺　李济元　主编

出　版	陕西出版集团 陕西人民教育出版社
发　行	陕西人民教育出版社
地　址	西安市丈八五路 58 号
邮　编	710077
网　址	http://www.snepublish.com
责任编辑	许　玲
责任校对	袁燕燕
封面设计	徐文竹
版式设计	徐文竹
经　销	各地新华书店
印　刷	陕西秦风印务有限公司
开　本	880mm×1230mm　1/32
印　张	9.125
字　数	185 千字
版　次	2012 年 5 月第 6 版
印　次	2014年12月第29次印刷
书　号	ISBN978-7-5450-1568-3
定　价	16.50元

编 写 说 明

十年磨一剑，今日把示君。十年的畅销，十年的实践，十年的信息采集和深入思考，我们迎来了"小学奥数举一反三系列"钻石版的出版。"小学奥数举一反三系列"给莘莘学子带来的成就感和自信心是读者口口相传、一如既往支持我们这一套丛书的理由。也因为这一份支持，我们这次修订不惜人力、物力，磨砺六年，精心为广大读者准备了一份同类图书中特别的大礼：**免费的动画解题视频和答疑服务。**相信我们的拳拳用心一定能让读者收获更大的自信心，同时也能让我们收获一份与时俱进的成就感。

"小学奥数举一反三系列"的十年，是我们不断总结成功的经验、不断挑战自我的十年。在编辑和读者的互动中，我们修订的主线逐渐明朗：**推出一个学习方法，形成一个学习理念，养成一个学习习惯。**

1. 一个学习方法：举一反三

子曰："不愤不启，不悱不发。举一隅不以三隅反，则不复也。"体现在我们这一套书中，就是推崇这样一种学习方法：融会贯通、触类旁通。我们应拒绝囫囵吞枣、不求甚解、浅尝辄止。

2. 一个学习理念

任何技能的学习不可能重复一次就掌握，必须多次重复，多方面多角度地训练。学习是一种循序渐进的过程，不可能一蹴而就，应该持之以恒。

3. 一个学习习惯

学习不是为了教孩子做难题怪题，而是为了对思维进行训练，训练一种多角度思考问题的能力。举一反三是一种创新的学习，并非简单的模仿。我们这套丛书设计为每天学习 15 分钟，使学生养成一种学习的习惯——持续学习的习惯，终身学习的习惯。

钻石版主要做了以下方面的修订工作：

1. 动画解题模式的创立，全新诠释了举一反三的学习理念

动画解题视频让逻辑化的文字叙述和形象化的 FLASH 结合，使解题的思考步骤立体地呈现。右脑的形象思维与左脑的逻辑思维很好地结合，这是我们试图全新诠释"举一反三"理念的一种创举，同时也是对本书解题思路的一种"反三"。

2. 全方位地对图书内容进行改进，精益求精

十年的畅销，得到了广大读者的认同，同时在使用中也发现了许多不尽如人意的地方。这次修订，我们全方位地收集整理了原书中存在的问题，并做了实质性改进。主要表现在：（1）理顺了各个年级中相同专题的难度梯度（如平均数问题、植树问题、盈亏问题等）；（2）对于陈旧试题背景进行了更换（如旧的单位、称谓、物价、利率等），使之反映现实生活的新背景，体现学生真实的生活情景；（3）增加了近年来的热点题型（如钟表问题）。相信细心的读者会感受到我们的用心。

衷心希望我们的努力，能对广大读者有真正的帮助。本书难免有不足之处，恳请广大读者批评指正，您的意见是对我们最大的支持。

我们的邮箱：aoshujuyifansan@sina.cn

博客：http://blog.sina.com.cn/aoshujuyifansan

微博：http://weibo.com/u/1932737325

孙玲　王玉

2012 年 4 月

目　录

第1周 数数有多少

小朋友，你上学以前，爸爸妈妈一定教你数过数，如：数苹果、数糖果、数手指头、数小棒等等。我们在数物体个数时，要从1开始数，1、2、3、4、5、6、7、8、9……每个物体都要数到，既不能重复也不能遗漏。最后一个物体所对应的数，就是物体的个数。

通过数物体的个数、根据给出的数字画图形、按顺序数数等练习，我们能感觉到数在生活中是无处不在的，也能体会到数数的一些乐趣。1、2、3、4、5、6、7、8、9……这些数，不仅可以按照顺序一个一个地数，还可以从小到大几个几个地数。只要小朋友多观察，勤动脑，就一定能发现许多有趣的数学问题。

王牌例题 1

你能数出下面的物体各是多少吗?

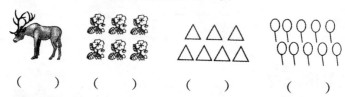

(   )   (   )   (   )   (   )

【思路导航】数物体时,小朋友要按一定的顺序数,从左往右、从上往下、从前往后都可以。一个一个地数,一边数一边在数过的物体上做个记号。要注意每个物体都要数到,并且只数一次。数到最后一个物体所对应的那个数,就是物体的个数。

🦌 (1)

从 1 开始数,1、2、3、4、5、6(6)

△△△△ 从 1 开始数,1、2、3、4、5、6、7(7)

从 1 开始数,1、2、3、4、5、6、7、8、9、10(10)

举一反三 1

1.看图写数。

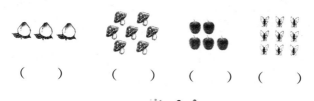

(   )   (   )   (   )   (   )

2.数一数,给相应数量的☆涂上喜欢的颜色。

 　　　 〇〇〇〇 　　　 ▨▨▨▨▨▨▨ 　　　

☆☆☆☆☆　☆☆☆☆☆　☆☆☆☆☆　☆☆☆☆☆
☆☆☆☆☆　☆☆☆☆☆　☆☆☆☆☆　☆☆☆☆☆

〇月〇日

王牌例题②

你有好办法数出下列物体的个数吗?

⊛⊛⊛⊛　　　　☆☆☆☆☆
⊛⊛⊛⊛　　　　☆☆☆☆☆
(　)　　　　(　)

【思路导航】我们平时在数物体的个数时,既可以一个一个地数,也可以从小到大几个几个地数。用后一种方法数,可以数得又对又快。

⊛⊛⊛⊛
⊛⊛⊛⊛两个两个地数,2、4、6、8,共8粒⊛。

☆☆☆☆☆
☆☆☆☆☆五个五个地数,5、10,共10颗☆。

举一反三2

1.数一数,下面这群小鸡共有多少条腿?

共有(　)条腿

3

2.数一数,下面图中共有多少个手指头?

共有( )个手指头

○月○日

王牌例题 ③

看数画○。

3 □ □

10 □ □

【思路导航】小朋友一定会画圆、三角形、正方形这些图形。看数画图时,画出图形的个数要与所给的数相等。在画图的时候,先看清所给的数是几,再按照1、2、3、4、5、6、7、8、9……的顺序,数一个数画一个图,数到几就画了几个图。

3  画圆圈的时候,边数边画:1、2、3。

10 画圆圈的时候,边数边画:1、2、3、4、5、6、7、8、9、10。

举一反三 3

1.看数画△。

5 □

8 □

4 □

12 □

4

2.再画上几个○,使右边○的个数等于左边的数字。

6	○○○○
9	○○○○○
3	○
10	○○○

○月○日

王牌例题④

把下面各点按顺序连接起来,看看是什么?

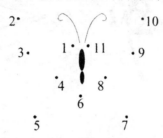

【思路导航】数中藏着画,画中藏着数,只要你仔细观察,有序寻找,然后按要求去做,就一定能发现其中的秘密。

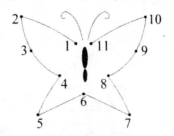

把1到11各点依次用线连接起来,是一只美丽的蝴蝶。

1.把下列各点按顺序连接起来,看看是什么?

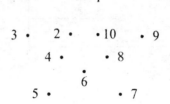

2.下面的图案分别藏着哪些数字?

○月○日

王牌例题⑤

有5只小兔、5堆萝卜,如果每只小兔吃1个萝卜,选哪一堆比较合适?

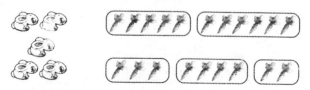

【思路导航】每只小兔吃1个萝卜,也就是1只小兔对应

1个萝卜。数一数有几只小兔,就知道一共要吃几个萝卜了。

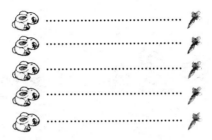

有 5 只小兔,每只小兔吃 1 个萝卜,一共要吃 5 个萝卜,所以应该选有 5 个萝卜的那一堆。

举一反三 5

1.有 3 只大熊猫吃竹笋,每只大熊猫吃 1 棵竹笋,下面 4 堆中选哪一堆比较合适?

2.把左图中的物品和右图中的物品用线连起来,说一说为什么这样连。

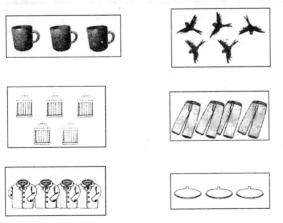

第 **2** 周 比多比少

小朋友,给你几行图或几个数,你能比较出它们谁多一些,谁少一些,谁比谁多,谁比谁少吗?这就需要我们仔细观察、认真比较。

比多比少是我们在生活中常见的数学问题。如果是比较几行图中物体的多少,可以一个对应着一个作比较,谁有多余谁就多一些,还可根据其中一种物体的个数和物体之间的多少关系,来判断出另外的物体的个数。另外,还可以比较几个数的大小,数大的比数小的多,数小的比数大的少。

王牌例题❶

比一比,填一填,在说法正确的"□"里打"√"。

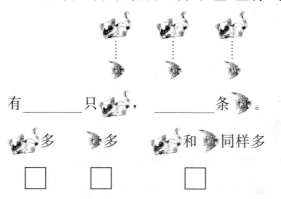

有＿＿＿＿只 🐱，＿＿＿＿条 🐟。

🐱 多　　🐟 多　　🐱 和 🐟 同样多

□　　　□　　　　　□

【思路导航】我们在比较多少时,1 只猫对着 1 条鱼,一一对应。如果 1 只猫吃 1 条鱼,那么 3 只猫就吃 3 条鱼,猫没有多余,鱼也没有多余,想一想,猫和鱼的关系是怎样的呢?

有 3 只猫,3 条鱼。猫与鱼一个对着一个比,既没有多余的猫,也没有多余的鱼,说明猫和鱼同样多。

举一反三 1

1.连一连,把同样多的用线连起来。

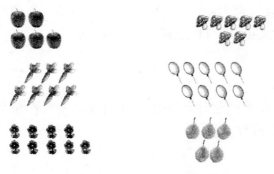

2.(1)画△,和○同样多。

○ ○ ○ ○

_____

(2)在△的下面画○,和△同样多。

△ △ △ △ △ △ △ △

_____

王牌例题②

比一比,填一填。

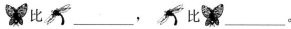比_____, 比_____。

【思路导航】比多少,要一个一个对应。谁有多余的,谁就多一些,另一个就少一些。

蝴蝶和蜻蜓一个对着一个比,蝴蝶有多余的,说明蝴蝶比蜻蜓多,反过来说,蜻蜓比蝴蝶少。

举一反三 2

1.比一比,在多的物体后面的"□"中画"√",在少的物体后面的"□"中画"○"。

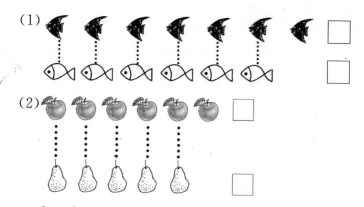

(1)

(2)

2. 看一看,比一比。

在最多的物体后面的"□"中画"√",在最少的物体后面的"□"中画"○"。

○月○日

王牌例题 ③

看一看,比一比,说说谁比谁多,谁比谁少。

【思路导航】比较时,一个对着一个,谁有多余,谁就多,

也就是它比另一种物体多,反过来说,另一种物体比它少。

花和苹果一个对着一个比,花有多余的,说明花比苹果多,反过来说,苹果比花少。

举一反三 3

1.比一比,谁多谁少?

(1)●●●●●●　　　(2)□ □ □ □ □
　　○○○　　　　　　☆ ☆ ☆ ☆ ☆ ☆

●比○_____　　　_____比_____多

○比●_____　　　_____比_____少

2.比一比,填一填。

(1)△△△△△△　　　(2)🧢🧢🧢🧢🧢
　○○○○○○　　　🔑🔑🔑🔑🔑🔑🔑

_____比_____多　　　🧢比🔑_____

_____比_____少　　　🔑比🧢_____

○月○日

王牌例题 ④

看一看,想一想,填一填。

△　△　△　△　△　△
□　□　□　□

_____比_____多,多_____个。

_____比_____少,少_____个。

【思路导航】比较时,和前面介绍的方法一样,一个对着一个比,谁有多余的部分,谁就多一些,也就是它比另一种物体多,再看多出的部分有几个,那就是多几;反过来还可以说,另一种物体比它少几。

△与□一一对应后,多出2个△,说明△比□多2个,也可以说□比△少2个。还可以这样想:△有6个,□有4个,6比4多2,4比6少2。

举一反三 4

1.看图,在题下的括号中用"√"画出正确的说法。

(1)

●比○多1个(   )

●比○少1个(   )

○比●少1个(   )

○比●多1个(   )

(2)

☆比□多1个(   )

☆比□少1个(   )

4比5少1(   )

4比5多1(   )

(3)

○比□少3个(   )

○比□多3个(   )

□比○少3个(   )

□比○多3个(   )

7比4多3(   )

4比7少3(   )

2.比一比,填一填。

(1)
```
△ △ △
□ □ □ □
```

△比□_____ _____个,3比4_____。

(2)
```
○ ○ ○ ○ ○ ○ ○ ○ ○
☆ ☆ ☆ ☆
```

○比☆_____ _____个,9比4_____。

○月○日

王牌例题⑤

动手画一画。

画☆,比□多2个。

□ □ □ □

—————————————

【思路导航】这道题实际上是☆和□比多少,所以在画图的时候要一个对着一个画,想清楚谁多一些,谁少一些。如果要画的图形多一些,那么就要比另一种图形多画一些;如果要画的图形少一些,那么就要比另一种图形少画一些。

☆比□多画2个,一个对着一个画,画完和□同样多的4个☆后,再多画2个☆,一共画6个☆。

□ □ □ □

☆ ☆ ☆ ☆ ☆ ☆

14

1.动手画一画。

(1)画○,和△同样多。

△△△△△△△

_____

(2)画□,和○同样多。

○○○○○○○○

_____

2.想想画画。

(1)在□的下面画○,比□多 3 个。

□□□□□

_____

(2)在◇的下面画□,比◇少 2 个。

◇◇◇◇◇◇

_____

第3周 几和第几

一个数可以表示几，也可以表示第几。如5，当它表示数目多少时，是5个；当它表示物体排列顺序时，是第5个。如果是5个，指物体数目一共有5个；如果是第5个，指物体排在第5个，这些物体至少有5个，可能更多。

小朋友排队放学，一队有9个小朋友，从前往后数，小阳排在第9个。"9个"是指小朋友的个数；而"第9个"是指小阳排列的顺序，也就是小阳在什么位置。可见，"几"和"第几"是不同的。

○月○日

王牌例题 ❶

数一数，有几只小动物参加爬山比赛？谁是第一名？其他小动物呢？

【思路导航】数有几只小动物时,可以按 1、2、3、4、5……的顺序依次数下去,最后一只小动物是几,就有几只小动物。排名次时,走在最前面的是第一名,依次往后数,是第二名、第三名、第四名、第五名……

数一数,1、2、3、4、5、6、7,有 7 只小动物参加爬山比赛。小猴第一名,小狗第二名,小兔第三名,狐狸第四名,大熊猫第五名,小象第六名,乌龟第七名。

举一反三 1

1. 一共有几个人排队?谁排第一?叔叔排第几?

2.

第( )　第( )　第( )　第( )　第( )

王牌例题 ②

圈一圈，涂一涂。

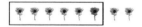

（1）把左边的 6 朵花圈起来。

（2）从左数起，把第 6 朵花涂上颜色。

【思路导航】按照题目的规定，从左边开始数起，数出左边的几朵和第几朵。还可以这样想：一共有 8 朵花，去掉右边的 2 朵花，剩下的就是左边的 6 朵花。

从左往右数，数出 6 朵花，圈起来，再把第 6 朵花涂上颜色。

举一反三 2

1.（1）给左边的 5 朵花涂上红色。

（2）从左数起，给第 2 棵、第 5 棵、第 7 棵树涂上绿色。

2.

一共有（　　）个水果。从左边数起,桃子排在第（　　）个、第（　　）个和第（　　）个,桃子一共有（　　）个;梨排在第（　　）个、第（　　）个、第（　　）个和第（　　）个,梨一共有（　　）个。

○月○日

王牌例题 ❸

看图说一说,一共有几个图形? 从左数起,△排第几个? 从右数起,○排第几个?

□ | △ 🥫 ○ 🎲 ⬭ ⬭

【思路导航】 从左数起和从右数起的情况有所不同。从左数起第几,应从左边开始按1、2、3、4……的顺序数数,数到几就是左面第几个。相反,从右数起第几,应从右边开始按1、2、3、4……的顺序数数,数到几就是右面第几个。

一共有8个图形。从左数起,△排第3个。从右数起,○排第4个。

举一反三 3

1. □ ◇ △ ☆ ◇ ▭ ⬭ ○ ■

一共有（　　）个图形。从左边数起,△排在第（　　）个,它的右边有（　　）个图形;从右边数起,□排在第（　　）个,它的左边有（　　）个图形。

2.

从左边数起，衣服排第（　　）个；从右边数起，衣服排第
（　　）个；从右边数起，（　　）排第 4 个。

把右边的 6 个物体圈起来。

○ 月 ○ 日

王牌例题④

③②⑥①④⑤⑨⑦⑧

一共有几张数字卡片？

哪一张数字卡片排在最左边？数字卡片①从右边数起
是第几张？

数字卡片⑦在数字卡片几和几之间？

中间一张数字卡片是几？

【思路导航】数第几的时候要考虑从左数起还是从右数
起，数的方法与前面介绍的一样。数字卡片⑦在数字卡片几
和几之间，要看⑦的左边是谁，右边是谁。中间一张数字卡
片是④，因为它左边有 4 张卡片，右边也有 4 张卡片，两边的
卡片张数相同。

一共有 9 张数字卡片。

数字卡片③排在最左边。数字卡片①从右边数起是第
6 张。

数字卡片⑦在数字卡片⑨ 和 ⑧之间。

中间一张是数字卡片④。

举一反三 4

1. ②⑦⑧③⑤⑥⑨①⑩④

一共有（　　）张数字卡片。

最左边一张数字卡片是（　　），最右边一张数字卡片是（　　）。

从左边数起，数字卡片⑤是第（　　）张，从右边数起，它是第（　　）张。

数字卡片⑨在（　　）和（　　）之间。

2.

从左边数起，苹果排第（　　）个，从右边数起，它排第（　　）个。

梨在（　　）和（　　）之间。

排在最中间的是（　　），它左边有（　　）个，右边有（　　）个，从左边数，它是第（　　）个，从右边数，它是第（　　）个。

〇 月 〇 日

王牌例题 ❺▶

⑨⑧⑦⑩⑤③⑥④⑧①②⑩⑨
　　　④⑧⑦

第一排一共有几张数字卡片？

数字卡片③从左数起排在第几个？要想使它从左数起

21

排在第8个,应从第二排移几张数字卡片放在它前面?试着移一移。

【思路导航】从左数起,数字卡片③排在某一个位置,要想使它变换一个位置,就要观察数字卡片③是向前还是向后移动了,移动了几个位置。如果是向后移动了几个位置,也就是数字卡片③的前面增加了几个位置,这时就要加上相应的几张卡片;如果是向前移动了几个位置,也就是③的前面减少了几个位置,这时就要去掉相应的几张卡片。

第一排一共有13张数字卡片。

数字卡片③从左数起排在第6个。要想使它从左数起排在第8个,也就是要从原来第6个向后退到第8个,后退了2个位置,因此,应从第二排移2张数字卡片放在数字卡片③的前面。

举一反三5

1.○○○○○○○○○△○○

从左边数起,△排在第(　　　)个。

要想使它从左数起排在第10个,应在它的前面再画上(　　　)个○。

2. 🍎🍎🍎🍎🍎🍐🍎🍎

从左边数起,🍐排在第(　　　)个。

要想使它从左边数起排在第2个,应从前面去掉(　　　)个🍎。

第**4**周 相同与不同

小朋友,给你几行图或数,你能发现与其他不同的那一行的图或数吗?请你仔细观察、认真比较,从中发现相同的规律,这样就能轻松地找到与规律不同的那一行了。

小朋友,你在整理书包时,常常把书和书放在一起,本子和本子放在一起,铅笔、小刀、尺子、橡皮等学习用具放在一起。这样有条理地把具有相同作用的东西放在一起,下次再用就方便多了。这就是利用相同与不同的数学知识去解决生活中的实际问题的例子。

○ 月 ○ 日

王牌例题❶

哪一种物品与其他物品不是同一类?请你找出来。

1. 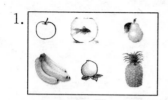　　2.

【思路导航】找出不同类的,要分别看一看每一种物品属于哪一类,有没有与它同类的物品。比如:生活用品类、水果类、蔬菜类、电器类、服装类等等。如果有哪一个物品与其他物品都不同类,那么它就是你所要找的不同类的物品。

1.苹果、梨、香蕉、桃、菠萝都是水果,而金鱼是动物,所以金鱼与其他物品是不同类的。

2.沙发、椅子、木凳、转椅都是用来坐的,而钢笔是文具,所以钢笔与其他物品是不同类的。

举一反三 1

1.把同类的物品圈起来。

(1) 　　(2)

2.把与其他物品不是同一类的物品圈出来。

王牌例题 ②

观察下图每一行的排列规律,找出与其他三行不同的那一行。

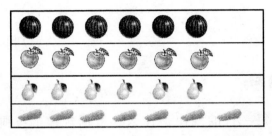

【思路导航】要找出与其他三行排列规律不同的那一行,我们一般从物品的种类和数量的变化这两点来考虑。通过仔细观察,发现相同与不同的规律,就可以找到答案了。

第一行、第二行、第三行都属于水果类,数量都是 6。而第四行是萝卜,属于蔬菜类,数量是 7,所以第四行与其他三行不同。

举一反三 2

1. 先看看每一格的规律是什么?再找一找哪一格与其他三格不同。

2.找出与其他三行规律不同的那一行。

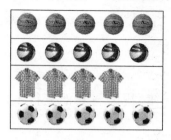

王牌例题 3

下图中每一行的规律是什么？根据规律继续画。哪三行的规律是一样的？

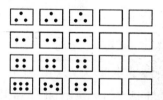

【思路导航】找出每一行点子图的规律，主要是从点的数量的变化上去考虑。第一行、第二行、第三行点的数量没有发生变化，而第四行点的数量在发生变化，因此可以从这一点上找出规律相同的与规律不同的。

第一行：每一格都是 3 个点，点的数量一样多。第二行：每一格都是 2 个点，点的数量一样多。第三行：每一格都是 4 个点，点的数量一样多。第四行：点的数量逐次少一，按

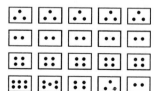

6、5、4、3、2 的规律画。所以,第一行、第二行、第三行的规律一样。

1.下图每一行的规律是什么?根据规律继续画,哪一行与其他三行不同?

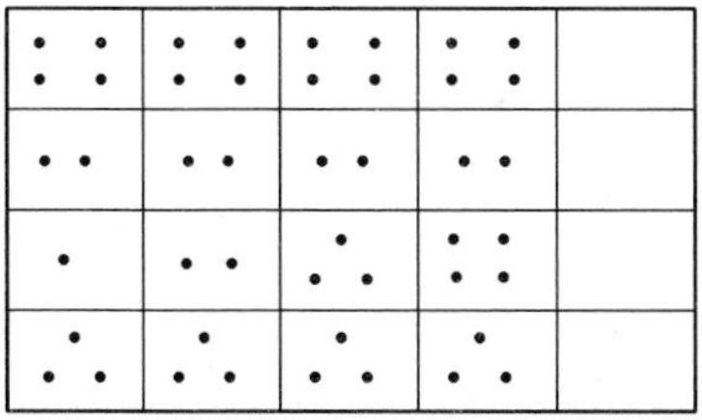

2.下图每一行的规律是什么?根据规律继续画,哪一行与其他三行不同?

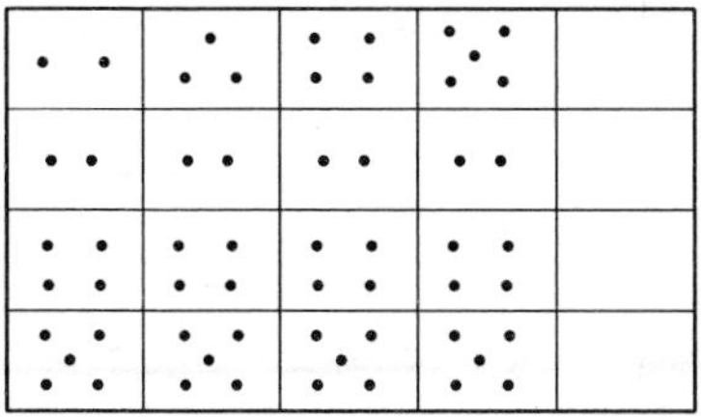

○月○日

王牌例题 ④

下面有几组数,它们都有一定的关系,找一找哪一组数与别的不一样?

(1)7、8 (2)5、4 (3)13、12 (4)16、15 (5)20、19

【思路导航】先找一找每一组数有什么特点,再想一想哪几组数的规律是相同的。上面 5 组数,每一组都有 2 个数字,但其中有 4 组数是大数在前,小数在后,这下你该知道哪一组数与其他几组不同了吧?

第 1 组与其他几组不同,它是小数在前,大数在后,而其他 4 组都是大数在前,小数在后。

举一反三 4

1.哪一行的规律和其他三行不一样?

(1)

3	3	3	3
5	5	5	5
4	5	6	7
2	2	2	2

(2)

1	2	3	4
1	3	5	7
3	4	5	6
4	5	6	7

2.哪一行的规律与其他三行不同?

(1)

1	2	3	4
4	5	6	7
2	3	4	5
6	5	4	3

(2)

9	7	5	3	1
3	5	7	9	11
2	4	6	8	10
1	3	5	7	9

◯ 月 ◯ 日

王牌例题 5

在下面的图中,哪几样东西是同类的?说一说你是怎样分类的?

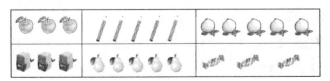

28

【思路导航】

(1)图中哪些东西是食品？把食品分成同一类,该怎样分？

(2)图中哪些东西是学习用品？把学习用品分成同一类,该怎样分？

(3)图中哪些东西的数量都是5？哪些东西的数量都是3？可以把数量相同的分成同一类吗？

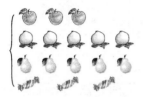

这些都是食品,从这一点看,它们是同一类的。

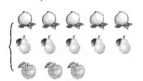

这些都是水果,从这一点看,它们是同一类的。

这些都是学习用品,从这一点看,它们是同一类的。

它们的数量都是5,从这一点看,它们是同一类的。

它们的数量都是 3,从这一点看,它们是同一类的。

举一反三 5

1. 分类。看看有几种分法。

2. 把下面六幅图进行分类,你有几种分法?

第 5 周 谁的眼力好

给你一组图形,其中有一个图形与其他图形的特征不一样,你能按照要求补上一块合适的图形吗?这就要比谁的眼力好了。只要小朋友认真观察、仔细比较,必要的时候,动手画画、剪剪、拼拼,就能解决问题了。

这一周的学习,要求小朋友用明亮的大眼睛仔细观察。既要找到图形间的共同特征,又要找到它们的不同之处,找出部分与整体的关系,这样才能圆满解决问题。

○月○日

王牌例题 1

下面的图形看上去都很相像,我们来比一比,看谁能在最短的时间里找出两个形状、大小、放置方向完全相同的图形。

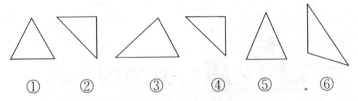

① ② ③ ④ ⑤ ⑥

【思路导航】通过比较,发现②和④的形状、大小、放置方向完全相同。

举一反三 1

1. 找出完全相同的图形。

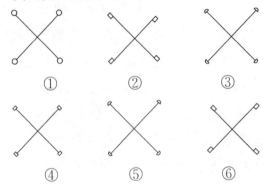

① ② ③

④ ⑤ ⑥

2. 下图中,哪两个图形相同?请找出来。

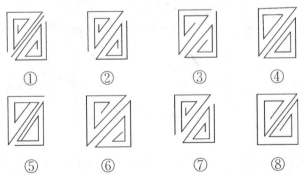

① ② ③ ④

⑤ ⑥ ⑦ ⑧

王牌例题 ②

下面的图形都由内外两个图形组成。其中有一个图形与其他三个图形不一样,你能找出来吗?

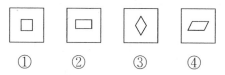

① ② ③ ④

【思路导航】上面 4 个图形每个图形都是由外面的正方形和里面的一个图形组合而成。图②、图③、图④里面的图形与外面的图形形状不一样,只有图①里面和外面都是正方形。

与其他三个图形不一样的是图①。

举一反三 2

1. 下面图形中,有一个与其他三个不同的,你能找到它吗?

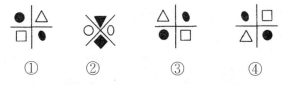

① ② ③ ④

2. 你能从下图中,找出一个与众不同的图形吗?

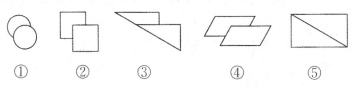

① ② ③ ④ ⑤

王牌例题③

下图左边的图形加上右边哪个图形,就可以组成一个正方形?

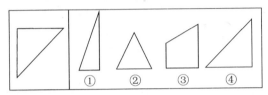

【思路导航】可以看出,左边的图形是一个正方形的一半,必须找到同样大的另一半才能组成一个正方形。右边的图④与左边的图形大小相同。

左边的图形和右边的图④拼在一起,就可以组成一个正方形。

举一反三3

1.下面左边的图形加上右边的哪个图形,就可以组成一个正方形?

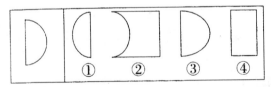

2.从右边的图形中选出一个,使它能和左边的图形组成长方形。

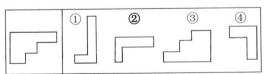

王牌例题 ④

小明不小心把新衣服弄破了,请你帮助他挑选一块合适的布补上去。

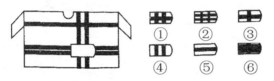

【思路导航】小明衣服上的花纹是一些横向和竖向的线条。弄坏这一块,根据上下左右的花纹来看,弄破的那部分应该是两条横向线条和两条竖向线条相互交叉。只有图②的布合适。

举一反三 4

1.选一块布把台布拼好。

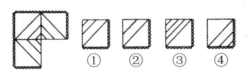

2.给裙子补上合适的口袋,用线连一连。

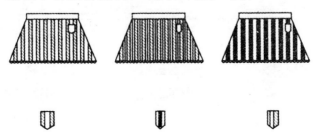

王牌例题 ⑤ ▶

把下面 A、B 两个图形重叠后,会变成哪个图形呢?

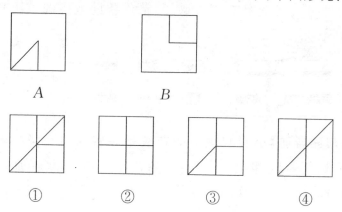

【思路导航】图 A 是一个左下角有个小三角形的大正方形,重叠后三角形应该还在。所以先排除图②。图 B 是一个右上角有个小正方形的大正方形,重叠后小正方形应该还在。所以再排除图①和图④。

A、B 两个图形重叠后,会变成图③。

举一反三 5

1. 将下面 A、B 两个图形重叠后,会变成哪个图形呢?

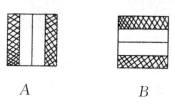

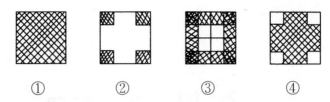

①　　　　②　　　　③　　　　④

2. 下面 A、B 两个图形分别是由右边哪两个图形重叠而成的？

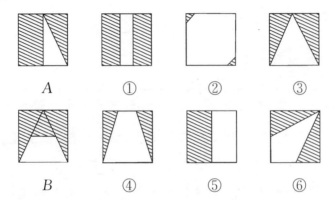

A　　　　①　　　　②　　　　③

B　　　　④　　　　⑤　　　　⑥

第6周 数数线段

　　小朋友,你知道吗?许多图形都是由线段组成的。

　　1."•"叫"点",用笔在纸上画一个点,可以画大些,也可以画小些,点在纸上占一个位置。

　　2."——"叫"线段",用直尺把两点用线连起来,就能画出一条线段,这两个点就是线段的端点,线段有两个端点。

　　线段必须是直的,而且要有两个端点。可以用若干条线段组成简单或复杂的图形。通过本周的练习,我们要掌握在图形中数线段的方法,在数的时候,要仔细观察,注意有条理、有次序地数,做到既不重复也不遗漏。这将对以后的数图形有很大的帮助。

王牌例题 ①

观察下面各图,判断哪个是线段并在线段下面的括号中打"√"。

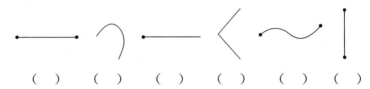

( )　( )　( )　( )　( )　( )

【思路导航】我们在判定一条线是否是线段时,必须满足两个条件缺一不可:1.是直的;2.有两个端点。

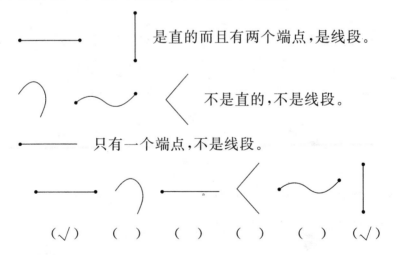

是直的而且有两个端点,是线段。

不是直的,不是线段。

只有一个端点,不是线段。

(√)　( )　( )　( )　( )　(√)

举一反三 1

1. 在线段下面的括号中打"√"。

( )　( )　( )　( )　( )　( )

2. 不是线段的在下面的括号中打"×"。

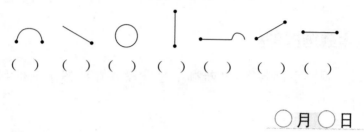

( )　　( )　　( )　　( )　　( )　　( )

〇月〇日

王牌例题 ❷

想一想,在下图的 3 个点之间,你能连几条线段?

【思路导航】在两点之间用笔沿直尺连接起来,就可以形成一条线段。现在有 3 个点,应在每两点之间画一条线段,试试看,你能连几条线段。

在 3 个点之间,可以连 3 条线段。

举一反三 2

1. 先画两个点,再用直尺把这两点连起来,看看这是什么?

2. 有 4 个点(如右图所示),你能在它们之间连几条线段呢?

王牌例题③

数一数下面这个图形中共有几条线段。

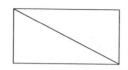

【思路导航】———————是一条线段。在一个图形中可以包含许多条线段,这就要求小朋友仔细观察,做到数的时候不重复、不遗漏。

这个图形中共有 5 条线段。我们可以按照下面的方法数。

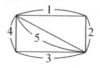

举一反三 3

1. 数一数图中共有几条线段。

2.你能数出下图中共有几条线段吗？

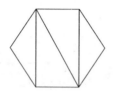

○月○日

王牌例题④

下图中共有几条线段？

A ————————— B C

【思路导航】————————是一条线段,而且只有一条。如果这样呢? A ————— B C 数一数有几条线段? 小朋友一下就能看出两条: $\underbrace{A\quad\quad\quad B\ \ C}_{AB\quad\ BC}$ 一条从 A 到 B,叫线段 AB,一条从 B 到 C,叫线段 BC。但是还有一条,你看出来了吗? $\underbrace{A\quad\quad\quad B\ \ C}_{AC}$

一共有 3 条线段,为了做到不重复、不遗漏,可以这样数,以 A 为端点,有线段 AB、AC,2 条,以 B 为端点,有线段 BC,1 条,共 $2+1=3$(条)。

A B C

举一反三 4

1.数一数图中共有几条线段。

A ———— B C ———— D

2.你能按顺序数一数共有几条线段吗？

王牌例题 5

数一数图中共有几条线段。

【思路导航】 在图形中数线段,也要按照顺序数,不能重复,也不能遗漏。分别以 A、B、C、D、E 为端点,看看有几条线段,但要注意,数过的线段不能再数第二次。

以 A 为端点,有 AD、AB、AE、AC,4 条。以 B 为端点,有 BD、BC,2 条(BA 已数过)。以 C 为端点,有 CE,1 条(CB、CA 已数过)。以 D 为端点,有 DE,1 条(DA、DB 已数过)。以 E 为端点的 EA、EC、ED 都已数过。所以,一共有 4+2+1+1=8(条)线段。

举一反三 5

1.数一数图中共有几条线段。

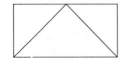

2.你能数出下图中有几条线段吗?

第 7 周　不重复的路

　　什么样的图形能一笔画成呢？这就是一笔画的问题，它是一种有趣的数学游戏。所谓一笔画，就是从图形上某点出发，沿着每条线画，每条线只画一次不能重复。下面，我们来介绍这方面的简单知识。我们知道，任何图形都是由点和线组成的，图形中的点分为两大类：

　　(1)从一点出发的线的条数是2、4、6、8、10······这样的双数，这个点称为双数点。

　　(2)从一点出发的线的条数是1、3、5、7、9······这样的单数，这个点称为单数点。

　　一个图形能否一笔画成，取决于图中的单数点的多少。图形中如果没有单数点，一定可以一笔画成；图形中如果只有两个单数点的，也一定可以一笔画成；其他情况的图形，都不能一笔画成。单数点在一笔画中只能作为起点或终点。

王牌例题①

从有小黑点的地方开始描,你能不重复、不遗漏,一笔把这些图描出来吗?为什么?

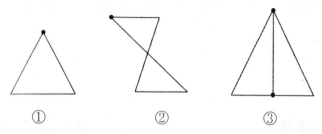

①　　　　②　　　　③

【思路导航】先找出图中的点,再数一数从这点出发的线有几条,就能确定能不能一笔画成了。图①中有 3 个双数点,没有单数点;图②中有 5 个双数点,没有单数点;图③中只有 2 个单数点,其余是双数点。因此,三幅图都可以一笔画成。

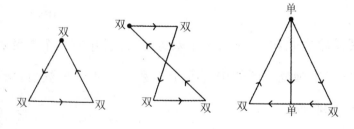

举一反三1

1.从小黑点开始,可以一笔画成下面的图吗?如果可以,请你一笔画成。

2.从小黑点开始,一笔描出下面的图。

○ 月 ○ 日

王牌例题 ❷

下面的图形能一笔画成吗?为什么?

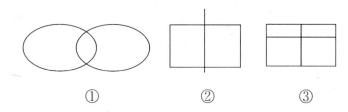

①   ②   ③

【思路导航】图①中有 2 个双数点,图②中有 6 个双数点,都可以一笔画成。图③中有 5 个双数点和 4 个单数点,所以不能一笔画成。

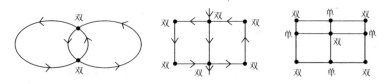

46

1.下面图形可以一笔画成吗？如果可以,请你一笔画成。

2.下列图形能一笔画成吗？为什么？

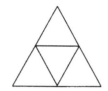

◯月◯日

王牌例题 3

观察下面图形,哪个图可以一笔画成？怎么画？

①　　　　　②

【思路导航】图①可以一笔画出,因为图中有 2 个单数点 A、B。图 ② 不能一笔画出,因为图中有 4 个单数点 A、B、C、D。

图①画法为 $A \rightarrow$ 头部 $\rightarrow$ 背部 $\rightarrow$ 尾部 $\rightarrow$ 翅膀 $\rightarrow B$。

1. 下面图形可以一笔画成吗？如果可以,请你动笔画一画。

 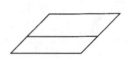

2. 下面图形能一笔画成吗？为什么？

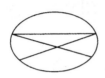

○ 月 ○ 日

王牌例题 ④

下面图形能不能一笔画成？如果能,应该怎样画？

【思路导航】图中共有 9 个点,这 9 个点都是双数点,所以可以一笔画成,任何一个双数点都可以作为起点,最后仍以这个点作为终点。

1.下面图形能不能一笔画成？如果能,怎样画？

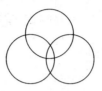

2.判断下列图形能否一笔画成,并说明理由。

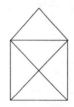 

○月○日

王牌例题⑤▶

下图是某地所有街道的平面图,甲、乙两人分别从 A、B 同时出发,以相同的速度走遍所有的街道,最后到达 C,问两人中谁最先到达 C?

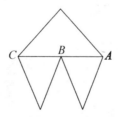

【思路导航】题中要求两人必须走遍所有的街道,最后到达 C,而且两人的速度相同,因此,谁走的路程少,谁便可以先到达 C。仔细观察上图,可以发现图中有 2 个单数点 A 和 C,

也就是说：甲可以从 A 点出发，不重复地走遍所有的街道，最后到达 C；而 B 点是双数点，从 B 点出发的乙要走遍所有的街道，一定要走重复的路。因此，甲所走的路程正好等于所有街道路程的总和，而乙所走的路程一定比这个总和多，所以甲先到达 C。

举一反三 5

1. 下图是一个公园的平面图，要使游客走遍每条路而不重复，问出、入口应分别设在哪里？

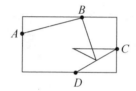

2. 下图是某商场的平面图，顾客可以从 A、B、C、D、E、F 六个门进出商场，怎样走才能不重复地走遍该商场的每条通道？

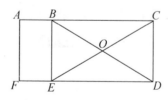

第8周 观察与思考

> 　　在平常的学习过程中,要有意识地对图形、事物等进行认真细心的观察,善于发现问题,及时进行分析、归纳,养成勤于动脑、善于思考的好习惯,这对于我们今后的学习是很有帮助的。
>
> 　　在解决实际问题的过程中,我们要认真观察图形、事物的变化过程,可以从中发现它们的变化规律,找出它们的特征,从而解决问题。

○月○日

王牌例题 1

　　下面的图形是按一定规律排列的,先观察它的变化规律,再填出所缺的图形。

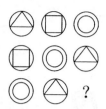

【思路导航】通过观察,可以发现第一行、第二行、第一列、第二列都有 3 个图形,即△□◎,不同的是它们的排列顺序不同,根据这个规律,可以发现,第三行、第三列都缺□,所以应该填□。

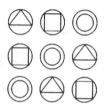

举一反三 1

1.观察图形的变化规律,想一想"?"处应画什么?

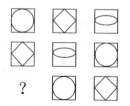

2."?"处该填什么样的图形?

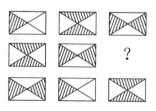

王牌例题②

"?"处该填什么图形？

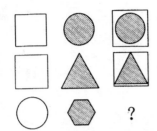

【思路导航】仔细观察可以发现第一行、第二行中,将每行的第二个图形移到第一个图形中,就变成了第三个图形,根据这个规律可以得出"?"处应该填⬡。

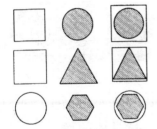

举一反三2

1. "?"处该填什么样的图形？

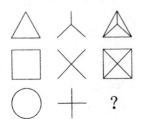

2. "?"处该填什么样的图形?

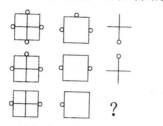

○ 月 ○ 日

王牌例题 ③

从左侧所给的六个图形中,选出一个适当的填入右侧图形空格。

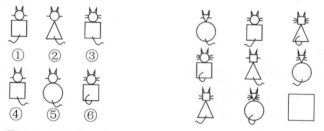

① ② ③
④ ⑤ ⑥

【思路导航】观察的时候,可以根据小猫的头的形状:▽、○、□;胡须的根数:1 对、2 对、3 对;身体的形状:□、△、○;尾巴甩动的方向:向右、向左、向上来进行比较分析,可以得出应选小猫的头是○,胡须是 1 对,身子是□,尾巴向右。所以应选择图④。

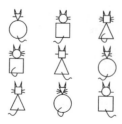

1. 从左边所给的六个图形中,选出一个适当的图形填入右边空格里。

2. 从左边给出的六个图形中,选出一个合适的图形填入右边空格里。

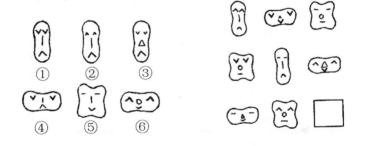

○月○日

王牌例题 4

怎样使下面两个椭圆中的△个数变成一样多?

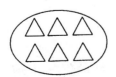 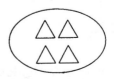

【思路导航】左边椭圆里有 6 个 △,右边椭圆里有 4 个 △,通过比较,可以发现左边比右边多 2 个 △,要使 △ 个数同样多,可以把左边多的 2 个去掉;也可以给右边的椭圆里添上 2 个 △;还可以从左边拿出 1 个 △ 给右边。

(1)从左边的椭圆里拿出 2 个 △,这样两边都是 4 个 △。

(2)给右边的椭圆里添上 2 个 △,这样两边都是 6 个 △。

(3)从左边的椭圆里拿出 1 个 △ 放入右边的椭圆里,这样两边都是 5 个 △。

举一反三 4

1.怎样才能使下面两个方框里的 ○ 变成同样多?

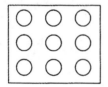 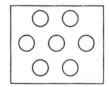

2.怎样使两边的 ○ 个数一样多?

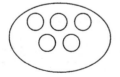 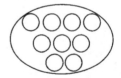

○ 月 ○ 日

王牌例题 5

把一根绳子对折,再在对折好的绳子上剪一刀,这时绳子断成几节?

【思路导航】一根绳子对折后形成"⚏",可见一端是连在一起的,然后从对折好的绳子中间剪一刀,如图:⚏连在一起的那一端为1节,另一端为2节。

根据图示可知,这时绳子断成3节。

举一反三 5

1.试着做一做:把一根绳子对折,再在对折好的绳子上剪两刀,这时绳子断成几节?

2.做一做,数一数:把一根绳子对折,再在对折好的绳子上剪三刀,这时绳子断成几节?

第 9 周　简单的应用

　　应用题是小学数学教学内容的重要组成部分。一年级的小朋友在学习计数和计算的同时,已逐步感知和理解了总数量和部分数量之间的关系。在此基础上,我们要学习解答简单的加、减法应用题。在练习时,小朋友要认真审题,学会分析数量之间的关系,正确列式解答。

　　简单的加、减法应用题所反映的是两个部分数量和总数量之间的关系。已知两个部分数量求总数量,用加法计算;已知总数量和一个部分数量,求另一个部分数量,用减法计算。

○ 月 ○ 日

王牌例题①

　　冬冬有 6 支铅笔,小明有 5 支铅笔。两人共有多少支铅笔?

【思路导航】这道题有三个数量:冬冬有铅笔的支数,小明有铅笔的支数和两人共有铅笔的支数。两人共有铅笔的支数是总数量,其余两个量是部分数量。求总数量,用加法计算:

6+5=11(支)

答:两人共有 11 支铅笔。

举一反三 1

1.小玲做了 8 朵花,小华做了 6 朵花。她们一共做了多少朵花?

2.动物园原来有 4 只猴子,又来了 8 只猴子。现在动物园里共有多少只猴子?

○ 月 ○ 日

王牌例题 2

红红有 8 本连环画,借给亮亮 2 本,红红还有多少本连环画?

【思路导航】这道题有三个数量:红红有连环画的本数,借给亮亮的本数和剩余的本数。红红有连环画的本数是总数量。已知总数量和一个部分数量,求另一个部分数量,用减法计算:

8-2=6(本)

答:红红还有 6 本连环画。

举一反三2

1.妈妈买了 12 个梨,吃了 4 个,还剩多少个?

2.小军有 10 张邮票,用去 4 张,还剩多少张?

◯月◯日

王牌例题❸

体育室有 8 个篮球,又买来同样多的篮球。现在体育室有多少个篮球?

【思路导航】要求体育室现有篮球的只数,这是一个总数量,就要把原有篮球的个数和又买来的个数合起来,应该用加法计算:

8+8=16(个)

答:现在体育室有 16 个篮球。

举一反三3

1.小明上午写了 6 个毛笔字,下午写的和上午写的同样多。小明上午和下午一共写了多少个毛笔字?

2.妈妈买回 10 个梨,爸爸也买了同样多的梨。两人一共买了多少个梨?

◯月◯日

王牌例题❹

小明有 10 块巧克力,吃了几块,还剩 4 块。小明吃了几块巧克力?

【思路导航】"10块巧克力"是总数量,它是由吃了的块数和还剩下的块数合起来构成的。已知总数量和其中一个部分数量,求另一个部分数量,用减法计算:

10－4＝6(块)

答:小明吃了6块巧克力。

举一反三 4

1.树上一共有18只鸟,飞走了几只后,还剩8只。飞走了几只鸟?

2.李老师有15本练习本,送给小明几本后,还剩12本。李老师送给小明几本练习本?

○月○日

王牌例题 5

小芳做了15朵花,送给小红4朵,又送给小兰5朵。小芳一共送出去几朵花?

【思路导航】要求小芳一共送出去几朵花,就是要把送给小红的4朵和送给小兰的5朵合起来,用加法计算。而"小芳做了15朵花"在这一题中是个多余条件,不必考虑。

4＋5＝9(朵)

答:小芳一共送出去9朵花。

举一反三 5

1.一根20米长的绳子,第一次剪去6米,第二次剪去4米,这根绳子短了多少米?

2.一本书共80页,小红第一天看了8页,第二天看了9页。小红两天一共看了多少页?

第10周 数数块数

专题简析

积木块如果堆放在一起,怎样才能一个一个地全都数出来呢?这里有个小诀窍。数的时候,可以一层一层地数,或一排一排地数;也可以先数看得见的积木块,再数看不见的积木块,这样才能一个不漏地数出来。

在看图数积木块的时候,要运用上面数积木块的方法细心观察、认真思考,正确数出它们的块数。

○月 ○日

王牌例题 ①

数一数。

(   )块

【思路导航】这里的积木块由上下两层堆起来,上层有1块,下层有3块。如图:

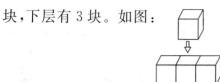

总块数:1+3=4(块)

举一反三 1

1. 数一数。

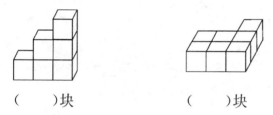

(　　)块　　　　　　　(　　)块

2. 哪两个图形合在一起能拼成一个长方体?连一连。

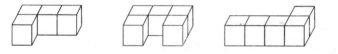

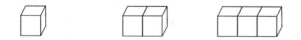

○月○日

王牌例题 2

下面图形中有多少块积木块?

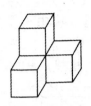

【思路导航】这里的积木块由上下两层堆起来。上层有 1

块,下层有 3 块,如图:

也可以看成由两排组成,如图:

总块数:1+3=4(块)

举一反三 2

1.数一数。

（　　　）块　　　　　　（　　　）块

2.数一数。

（　　　）块　　　　　　（　　　）块

王牌例题③

数一数,下面的图形中有多少块积木块?

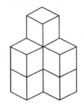

【思路导航】可以看成是由两排积木块拼成的。也可以看成是由三层积木块拼成的。如图:

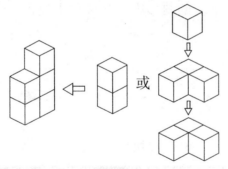

总块数:5+2=7(块)或 3+3+1=7(块)

举一反三 3

1. 数一数,下面图形中有多少块积木块?

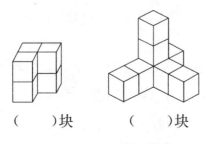

（　　　）块　　　（　　　）块

2.数一数,下面图形中有多少块积木块?

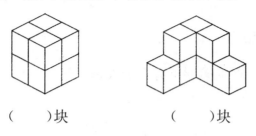

（　　）块　　　　　　　　　（　　）块

○月○日

王牌例题❹

数一数,算一算,下面的图形中有几块积木块?

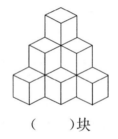

（　　）块

【思路导航】通过观察,可以发现这堆积木块由三排组成,第一排有 1 块,中间一排有 3 块,最后一排有 6 块。如图:

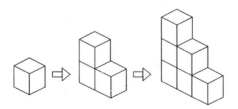

还可以从上层往下层数,顶层有 1 块,第二层比第一层多 2 块,有 3 块,第三层比第二层多 3 块,有 6 块。

总块数:1＋3＋6＝10(块)

举一反三 4

1. 数一数,算一算,下图中有几块积木块?

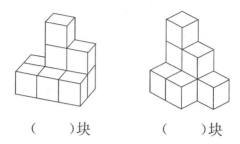

（　　）块　　　　　（　　）块

2. 数一数,下面图形中有几块积木块?

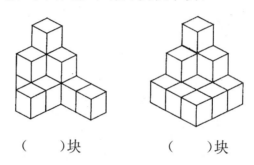

（　　）块　　　　　（　　）块

○月○日

王牌例题 5

数一数,下图中有几块积木块?

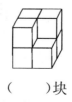

（　　）块

【思路导航】这堆积木块可以从上往下数,也可以从左往右数。还可以看成是从一个大正方体中拿走了一个小正方体。如图：

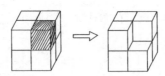

(1)从上往下数：

第一层　　第二层

3块　　　　4块

总块数：3+4＝7(块)

(2)从左往右数：

第一排　第二排

4块　　　3块

总块数：4+3＝7(块)

(3)从一个大正方体中拿走一个小正方体：8－1＝7(块)

举一反三 5

1.数数下面图形中共有几块积木块？

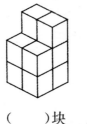

（　　）块

（　　）块

2.看看谁数得又对又快？

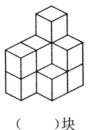

（　　）块

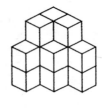

（　　）块

第11周 找规律画图

专题简析

对于找规律画图的问题，我们可以通过仔细观察，发现所给图形的排列规律，根据这一规律，接着画。

小朋友，要想发现前面图形的排列规律，可以从它们的形状、颜色、位置的变化和排列的顺序等方面进行观察分析，这样就能正确地画出后面的图形。

○月○日

王牌例题 **1**

找规律接着往下画。

【思路导航】可以发现，每幅图中黑点的个数是在有规律地变化着，分别是 1 个、3 个、5 个、7 个……后一幅图中黑点的个数比前一幅图中黑点的个数多 2，所以接下去应画 9 个

黑点和 11 个黑点。

1. 下面的方格中应画几个樱桃?

2. 最后一幅图要画出多少个点?

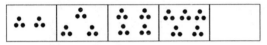

○月○日

王牌例题 2

画出盒子里串的三颗珠子。

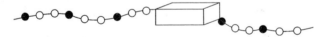

【思路导航】通过观察,发现这串珠子的排列规律是:●○○后面接着又是●○○,盒子前面正好是一组●○○,所以盒子里应画●○○。

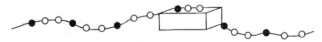

1. 画出盒子里串的四颗珠子。

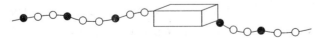

2.画出接下来的 5 颗珠子。

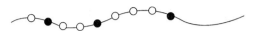

王牌例题 ❸

根据规律接着画。

△○□□△○□□ ___ ___ ___

【思路导航】通过观察,可以发现图形的排列规律是:△○□□后面又是△○□□,所以后面应接着画△○□□。

△○□□△○□□ △ ○ □ □

举一反三 3

1.根据规律在横线上画出图形。

□△○○□△○○ ___ ___ ___ ___

2.根据规律在横线上画出图形。

○□△△△○□△△△ ___ ___ ___ ___

◯月◯日

王牌例题 ❹

看一看,想一想,1、2 两个盒子里应放什么图形,再连一连。

【思路导航】根据观察,可以发现,这些图形的排列规律是,所以 ①里是▱,②里是○。

举一反三 4

1. 看一看,找规律,先画一画,再填一填。

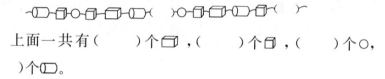

上面一共有( )个▱,( )个▱,( )个○,
( )个▭。

2. 找规律,画一画。

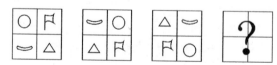

○月○日

王牌例题 ⑤

根据图形的变化规律,想一想,接着怎么画?

【思路导航】通过观察前面的三幅图,可以发现每幅图中的"○""尸""△""⌣"本身没有变化,但它们所处的位置却在变化,是按顺时针方向移动的,根据这样的规律,第四幅图应

该是  。

举一反三 5

1. 找出规律，请你接着画。

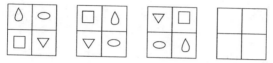

2. 想一想，接着画。

第12周 猴子吃桃

专题简析

> 本周我们要通过选择合理的路线,知道比较路线的长短可以用数段数的方法,也可以用一段对应一段的方法。
>
> 比较路线的长短时,要根据线段的段数的多少进行分析、比较,从而解决问题。

○月○日

王牌例题①

从 *A* 点到 *B* 点有三条路线,请你找出最短的一条路线,使猴子能最快吃到桃子。

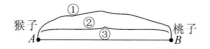

【思路导航】通过观察,我们可以发现,路线①、②是曲线,路线③是线段,如果把路线①、②拉直,都比路线③长,所

以路线③最短,猴子走路线③能最快吃到桃子。

举一反三 1

1.三只猴吃桃,哪只猴走的路最长?在( )里画
"○"。哪只猴走的路最短?在( )里画"△"。

①猴_____桃( )

②猴～～～～～～～～～～～～桃( )

③猴——————————————桃( )

2.(1)下面图中的三条线中,哪条线最长?哪条线最短?

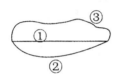

(2)在最长的那条线旁画上"○"。

○月○日

王牌例题 2

方格图中有三支铅笔,比一比哪支铅笔最长?

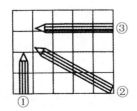

【思路导航】要比铅笔的长短，一般把铅笔的一端对齐，比一比它们的长短就知道了。而图上不能直接比，可以根据图上画的方格子，利用数格子，知道①号铅笔占 2 格，③号铅笔占的格子数比①号多，所以③号铅笔比①号铅笔长。②号铅笔呢？它是斜放着的，它的两端与③号铅笔所在的位置一样，根据观察、比较，斜着放的要比直着放的长，所以②号铅笔最长。

举一反三 2

1. 哪支铅笔最长？

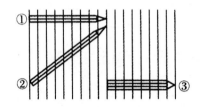

2. 哪支铅笔最长？

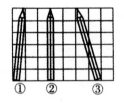

○月○日

王牌例题 3

比较下图方格中的 *A*、*B*、*C* 三条线，哪条最长？哪条最短?

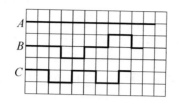

【思路导航】通过观察,可以发现 A 线共有横线 11 段;B 线有横线 10 段,竖线 4 段,共有 14 段;C 线有横线 9 段,竖线 4 段,共有 13 段。

通过比较三条线的段数,可以知道 B 线最长,A 线最短。

举一反三 3

1.下面几只猫跑得一样快,比一比,下面方格图中哪只猫最先抓到老鼠?哪只猫最后抓到老鼠?

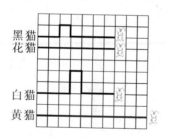

2.方格图中的哪条线最长?

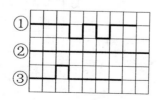

王牌例题④

大猴、小猴跑得一样快,它们谁先吃到梨呢?

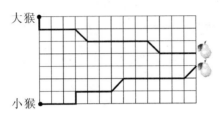

【思路导航】大猴要走的路线中,横线有 11 段,竖线有 1 段,斜线有 2 段;小猴要走的路线中,横线有 11 段,竖线有 1 段,斜线有 2 段。

通过比较大猴、小猴要走的路程中,横线、竖线、斜线的段数相等,所以大猴、小猴同时吃到梨。

举一反三 4

1. 小强、小军走得一样快,谁先拿到草莓呢?

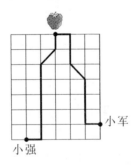

2.三只兔子跑得一样快,哪只兔子最先吃到萝卜呢?

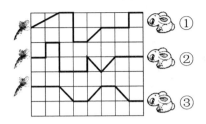

○ 月 ○ 日

王牌例题⑤

下面有三条线,哪条线最长? 哪条线最短?

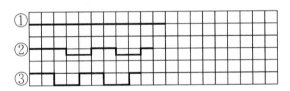

【思路导航】线①有横线 11 段;线②有横线 10 段,竖线 4 个半段,折合 2 段,一共 12 段;线③有横线 9 段,竖线 4 段,一共 13 段。所以,线③最长,线①最短。

举一反三 5

1.下面哪条线最长? 哪条线最短?

①　②　③

2.数一数它们各有几根小棒？哪幅图用的小棒最多？长度最长？

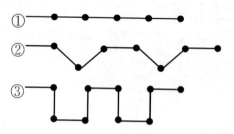

第13周 图形折剪拼

专题简析

　　小朋友们已经学过了一些简单的基本几何图形，如：▭、□、△、○等，通过折剪拼，这些图形之间是可以相互变化的，这不仅可以锻炼我们的动手能力，还能活跃我们的思维，使我们的头脑越来越灵活。

　　通过这一周折折、剪剪、拼拼的练习，小朋友们一定会了解图形之间的变化关系。也许你们还有很多与众不同的折剪拼方法。只要多动手、勤思考，就能使你们的头脑越来越聪明。

○月○日

王牌例题 ❶

　　小朋友，你能剪一刀，把下面的正方形变成两个完全一样的图形吗？

【思路导航】把正方形剪一刀变成两个形状、大小一样的图形,可以先把正方形竖着对折,沿着折痕剪一刀变成 2 个长方形(如图①)。也可以斜着对折,沿着折痕剪一刀变成 2 个三角形(如图②)。剪一刀还可以变成 2 个直角梯形(如图③)。

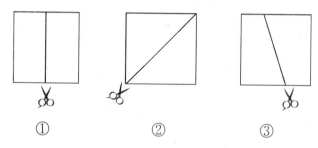

1. 你能剪一刀,把下面的长方形变成两个完全一样的图形吗?

2. 请你剪两刀,使下面的正方形变成四个完全一样的图形。

王牌例题 ②

在一张纸的中间剪出一个长方形。

【思路导航】要在一张纸的中间剪出一个长方形,具体步

骤如图: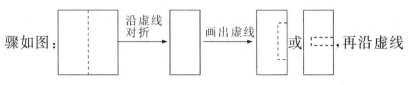或 ,再沿虚线

剪。也可以对折两次后再剪。

举一反三 2

1. 在正方形纸的中间各剪出一个□、一个△、一个〇。

2. 请你在一张纸的中间剪出一个你喜欢的图形。

王牌例题 ③

从下面四个图形中选出两个可以拼成正方形的图形。

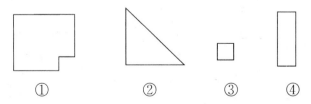

①　　②　　③　　④

【思路导航】通过观察分析,我们发现图形①缺了一个

角,而这个角的形状正好是一个正方形,即图形③,所以图形

①和③可以拼成一个正方形。

1.从下面四个图形中选出两个可以拼成长方形的图形。

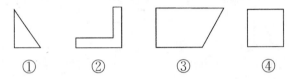

① ② ③ ④

2.从下面五个图形中选三个可以拼成图形 ⬆。

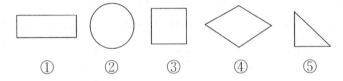

① ② ③ ④ ⑤

○ 月 ○ 日

王牌例题 ④

把 ◇◇◇ 剪两刀拼成一个 ⊞ 。

【思路导航】通过观察分析,只要从 ◇◇◇ 左右各剪下◇和◇拼到中间,摆正,即拼成 ⊞ 。

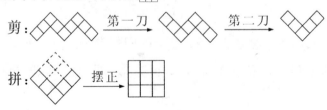

84

想一想:还有没有其他的剪法?

举一反三 4

1.把下面的左图剪一刀拼成右图。

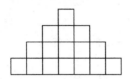

2.把下图的 16 个小方格剪两刀,然后拼成正方形。

○月○日

王牌例题⑤▶

将下列图形分割成形状相同的四个图形,每个图形中都含有半个圆,请你试着剪剪看。

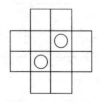

【思路导航】将 ◯ 分割开来,如果这样分 ◯ ,试着画一下就知道,分成的图形形状不一样。如果这样分 ⊘ ,正好分成大小相同的四块。

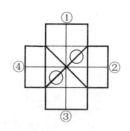

1.下图正方形里有 5 只鸡：中间 1 只,四个角各 1 只。怎样在图中画一个正方形,把它们相互隔开？

2.把下边的正方形分割成形状、大小相同的图形,使每个图形中都含有一幅小猪胖胖的照片,你能做到吗？

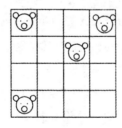

第14周 妙拼七巧板

找一个正方形硬纸板，依照右图所示画一副大七巧板，再沿着线剪下来：1块□、5块△、1块▱。用一副七巧板可以拼成许多美丽有趣的图形，如果涂上不同的颜色，就更漂亮了，请小朋友按本周所讲的方法来拼拼看。

小朋友，只要你勤于动手、乐于动脑，凭借着这1块□、5块△、1块▱，一定能拼出许多漂亮精彩的图案。

〇月〇日

王牌例题 ①

用七巧板拼成一个正方形。

【思路导航】一副七巧板中有一块□、五块△、一块▱，只要选择其中的两个三角形就可以拼成。

1.你能照样子用 5 块七巧板拼成一个正方形吗？试试看。

2.请你用 7 块七巧板拼成一个正方形,并涂上美丽的颜色。

○月○日

王牌例题 ②

用七巧板拼成一个长方形。

【思路导航】根据上一个练习,我们发现,两块七巧板可以拼成一个正方形,五块七巧板也可以拼成一个正方形,这两个正方形就可以拼成一个长方形。

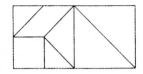

1. 请你照样子拼一个长方形。

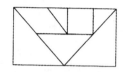

2. 用七巧板拼一个平行四边形,并涂上自己喜欢的颜色。

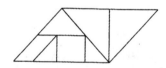

○月○日

王牌例题 ③

你能用七巧板拼一个大三角形吗?

【思路导航】将"举一反三 2"中第 1 题去掉两边两个大三角形,剩下的部分是一个三角形。

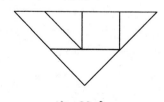

1. 按下图拼一个三角形。

2. 按下图自己拼一拼。

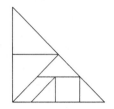 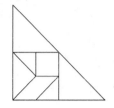

〇月〇日

王牌例题 ④

用七巧板拼"个"字。

【思路导航】只要用一个大三角形作为"个"的"人"字头，下面用一个长方形和两个三角形表示"个"中的"丨"就行了。

举一反三 **4**

1. 用七巧板拼"山"字。

2.用七巧板拼"竹"字。

王牌例题⑤

用七巧板拼有趣的小金鱼。

【思路导航】用两块大三角形拼小金鱼的头,身子用一块正方形和两块小三角形拼,尾巴由一块平行四边形和另一块三角形拼成。

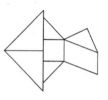

举一反三 5

1.下面的小动物可爱吗?请试着用七巧板拼一拼。

 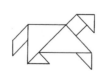

2.照样子用七巧板拼一拼,再涂上自己喜欢的颜色。

第15周　数数图形

小朋友,下面的图形你认识吗?

□　▭　△　○

如果把许多这样的图形混在一起,你能数得清吗?在数图形时,我们要仔细地观察,有次序、有条理地数,做到既不重复,又不遗漏。

○月○日

王牌例题①

数一数,图中有几个正方形?几个长方形?几个三角形?几个圆?

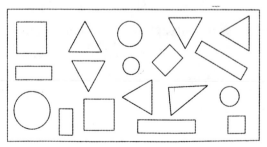

【思路导航】虽然各种图形排放不整齐,且个数又多,但只要我们按一定次序细心地数,就能数清楚。我们可以一行一行地数,也可以从左往右一列一列地数,数一个在图上作个标记,如打"√"。

可数得:正方形有 3 个,长方形有 5 个,三角形有 6 个,圆有 4 个。

举一反三 1

1.先数图形,再填空。

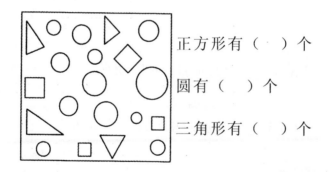

正方形有 ( ) 个

圆有 ( ) 个

三角形有 ( ) 个

2.下面各图由哪些图形组成? 每种图形各有多少个?

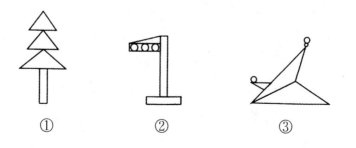

① ② ③

王牌例题②

你能数出图形中有几个三角形吗?

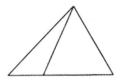

【思路导航】我们先数单个的三角形:

有 2 个,再数由 2 个三角形合成的三角形: 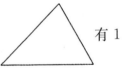 有 1

个。这样就能数出三角形的总数:2+1=3(个)。

举一反三2

1.你能数出图形中有几个三角形吗?

( )个   ( )个

2.数数下图中有几个三角形?

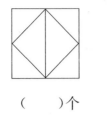   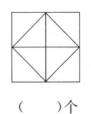

(   )个   (   )个

◯月◯日

王牌例题③

数一数,下面的图形中有多少个正方形?

【思路导航】单个的正方形 有 4 个,由 4 个正方

形合成的正方形 有 1 个。这样就能数出正方形的总

个数:4＋1＝5(个)。

举一反三 3

1.数一数,图中共有多少个正方形?

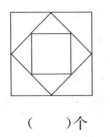 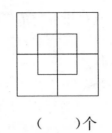

（　　）个　　　　　　（　　）个

2.数一数,图中共有多少个正方形?

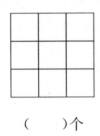

（　　）个

○月○日

王牌例题❹

数一数,下面共有多少个长方形?

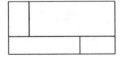

【思路导航】先数单个的长方形:共有4

个,再数由两个长方形组成的大长方形:共有2

个,最后数由 4 个长方形组成的最大的长方形:

有 1 个。这样就能数出长方形的总个数了。

即:4＋2＋1＝7(个)

举一反三 4

1.数一数,下面每个图形里各有几个长方形?

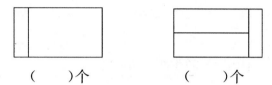

(   )个   (   )个

2.数数下图中有几个长方形?

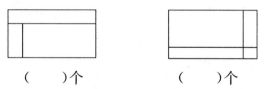

(   )个   (   )个

○ 月 ○ 日

王牌例题 5

数一数,图中共有多少个圆?

【思路导航】先数小圆,一共有 9 个;再数中等大小的圆,有 1 个;最后再数最大的圆,有 1 个。这样就能数出圆的总个数了。

$$9+1+1=11（个）$$

1.数一数,图中共有多少个正方形?

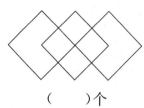

（　　）个

2.数一数,图中共有多少个三角形?

（　　）个

第16周 填填数字

专题简析

填数是许多小朋友喜欢的一种数学游戏。填数时，一般要根据题目所给出的数，运用一定的方法，合理地算出所要填的数。

"填填数字"这一类题，是让你根据已知的数，在○或□里填入不知道的数。这就需要根据这些数之间的关系，进行合理的分析、推算，得到应该填入的数。通过这样的练习，不仅可以提高你的运算能力，而且能促使你积极地去观察、思考，更好地解决问题。

○月○日

王牌例题 1

下面每条线上都有三个○，三个○里的数加起来都等于12,请你在○里填入合适的数。

(1)⑤—④—○   (2)○—⑦—①

(3)⑧—○—③　　　(4)④—○—⑥

(5)④—③—○　　　(6)○—⑤—①

【思路导航】因为每条线上三个○里的数相加的和都等于12,所以可以用12减去两个已知加数,就能求出○里的数。

(1)12—5—4=3→⑤—④—③

(2)12—7—1=4→④—⑦—①

(3)12—8—3=1→⑧—①—③

(4)12—4—6=2→④—②—⑥

(5)12—4—3=5→④—③—⑤

(6)12—5—1=6→⑥—⑤—①

举一反三 1

1.下面每条线上都有三个○,三个○里的数加起来都等于15,请你在○里填入合适的数。

(1)○—②—⑦　　　(2)⑧—○—④

(3)⑤—⑨—○　　　(4)⑥—④—○

(5)⑩—③—○　　　(6)○—⑩—②

2.下面每条线上都有三个○,三个○里的数加起来都等于18,请你在○里填入合适的数。

(1)⑩—⑤—○　　　(2)○—⑧—②

(3)④—○—⑫　　　(4)○—⑥—⑧

(5)⑤—○—⑫　　　(6)⑨—⑧—○

王牌例题②

在○里填数,使每条线上的三个数的和都等于15。

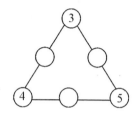

【思路导航】要使每条线上的三个数的和都等于15,可以先算出每条线上已知的两个数的和,再用15减去这两个数的和,求出○里的数;也可以用15依次减去每条线上的两个已知加数,再求出○里的数。

由15-3-4=8,得出左边○里填8;

由15-3-5=7,得出右边○里填7;

由15-4-5=6,得出下边○里填6。

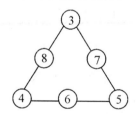

举一反三2

1.在○里填数,使每条线上的三个数的和都等于12。

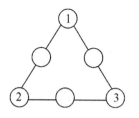 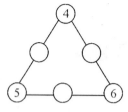

2.在○里填数,使每条线上的三个数的和都等于指定的数。

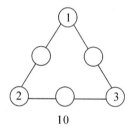 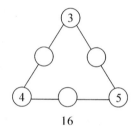

10   16

○月○日

王牌例题3

在下面的○里填上合适的数,使横行、竖行三个数相加的和都等于 16。

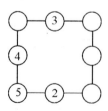

【思路导航】左竖行、下横行都已有两个加数,根据三个数相加的和都等于 16,可以先求出这两条线上○里的数;再根据所填的数和已知加数,算出上横行○里的数,最后填出右竖行○里的数。

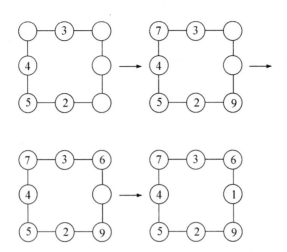

举一反三 3

1.填数,使横行、竖行的三个数相加的和都等于指定的数。

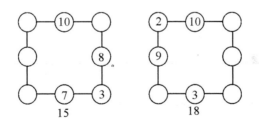

2.填数,使横行、竖行的三个数相加的和都等于指定的数。

	12	
		11
10		7

20

	15	
15	10	
5		

30

王牌例题④

把1、2、3、4这四个数填入下图的四个空格里,使横行、竖行三个数相加的和都是12。

【思路导航】因为7+5=12,所以只要将1、2、3、4这四个数分成两组,每组两个数之和是5就行了。

根据1+4=5,2+3=5,可以这样填:

	2				1	
1	7	4	或	2	7	3
	3				4	

举一反三4

1.把3、4、6、7这四个数填入下图的空格里,使横行、竖行三个数相加的和都等于15。

2.看谁填得又对又快。在下面两个图中的空格里各填入一个数,使左边图中横行、竖行三个数相加都等于19,右边图中横行、竖行三个数相加都等于12。

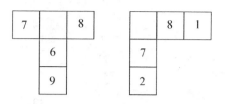

王牌例题⑤

把1、2、3、4、5这五个数填入下图的○中,使横行、竖行三个数的和都等于□中的数。

○
○—○—○
○
□ 10

【思路导航】横行、竖行三个数的和都等于10,横行和竖行的和应为10+10=20,而1~5五个数字的和为1+2+3+4+5=15,20比15多5,因为中间的一个圆圈中的数多算了一次,所以中间圆圈中的数为5。因此填数时,先填中间的圆圈中的数,是5。

又因为5+5=10,所以只要把剩下的1、2、3、4这四个数分成两组,每组两个数之和是5即可。根据1+4=5,2+3=5,可以这样填:

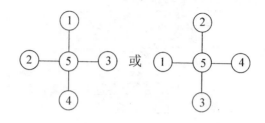

举一反三 5

1.把1、4、5、6这四个数填进空格,使横行、竖行的三个数相加都等于10。

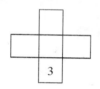

2.把1、2、3、4、5、6、7这七个数填在下图的七个○里(每个数只能用一次),使每条直线上的三个数相加的和都等于12。

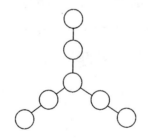

第17周 猜猜他几岁

小朋友,如果今年你7岁,明年你几岁?如果妈妈今年32岁,比你大25岁,明年妈妈比你大多少岁呢?在解答这些年龄问题时要记住:每过一年,每人年龄都要增加一岁。今年妈妈比你大几岁,再过些年,妈妈还是比你大几岁。抓住这个不变量,解决问题时就方便多了。

通过比年龄大小、猜年龄大小等练习,你就会知道过一年大家都要长一岁,两个人的年龄差是不会变的。根据这个道理可以计算出几年后或几年前每人的岁数。这是在现实生活中常见的数学问题。

王牌例题❶

小华今年 8 岁,妈妈今年 33 岁。

(1)小华去年几岁? 明年几岁?

(2)妈妈今年比小华大多少岁? 明年呢?

【思路导航】题目中小华今年 8 岁,去年他应是 8－1＝7 (岁),明年他就是 8＋1＝9(岁)。妈妈今年 33 岁,那么今年妈妈比小华大 33－8＝25(岁);妈妈明年是 33＋1＝34(岁),明年妈妈比小华大 34－9＝25(岁)。可见两人的年龄差不管过几年,都不会变。

举一反三 1

1.今年妈妈比小佳大 24 岁,10 年后,妈妈比小佳大多少岁?

2.小亮今年 7 岁,爸爸比他大 30 岁。3 年前,小亮比爸爸小多少岁?

王牌例题❷

妹妹今年 4 岁,姐姐今年 12 岁。10 年后,姐姐比妹妹大几岁?

【思路导航】根据题意,今年姐姐 12 岁,妹妹 4 岁,那么我们可以知道姐姐比妹妹大 8 岁。10 年后,姐姐长了 10 岁,妹妹也长了 10 岁,由此可以求出 10 年后姐姐比妹妹大几岁。

今年姐姐 12 岁,妹妹 4 岁,姐姐比妹妹大 $12-4=8$（岁）。

10 年后,姐姐的年龄是 $12+10=22$（岁）。

10 年后,妹妹的年龄是 $4+10=14$（岁）。

因此 10 年后,姐姐比妹妹大 $22-14=8$（岁）。

想一想:还可以怎样做?

举一反三 2

1. 今年小亮的表哥 18 岁,小亮 6 岁。5 年后,表哥比小亮大几岁?

2. 今年小红 8 岁,姐姐 12 岁。5 年后,姐姐比小红大多少岁?

○ 月 ○ 日

王牌例题 3

小芳今年 10 岁,妈妈比她大 28 岁,当小芳 15 岁时,妈妈多少岁?

【思路导航】从小芳今年 10 岁,妈妈比她大 28 岁,可以知道妈妈今年的年龄。到小芳 15 岁时,也就是过了 5 年,妈妈也长了 5 岁,你能求出妈妈 5 年后的年龄了吗?

今年,小芳 10 岁,妈妈的年龄是 $10+28=38$（岁）,

小芳 15 岁,也就是过了 5 年,妈妈长了 5 岁。

所以,小芳 15 岁时,妈妈的年龄是 38＋5＝43(岁)。

也可直接用 28＋15＝43(岁)来算。

想一想,这是为什么?

1. 小东今年 5 岁,小东的阿姨比他大 20 岁。那么小东 15 岁时,小东的阿姨多少岁?

2. 爷爷今年 75 岁,爸爸比爷爷小 30 岁。当爷爷 60 岁时,爸爸多少岁?

○月○日

王牌例题 ④

李华今年 10 岁,爸爸今年 40 岁,当李华 15 岁时,爸爸多少岁?

【思路导航】李华今年 10 岁,再过 5 年李华 15 岁,同样爸爸再过 5 年就是 45 岁了。

15－10＝5(年)

40＋5＝45(岁)

举一反三4

1. 小红今年 6 岁,妈妈今年 32 岁,当小红 20 岁时,妈妈多少岁?

2. 小王今年 20 岁,小何今年 29 岁,当小王 15 岁时,小何多少岁?

王牌例题❺

今年弟弟 4 岁,哥哥 12 岁,合起来是多少岁?当弟弟和哥哥两人的年龄合起来是 18 岁时,哥哥几岁?弟弟几岁?

【思路导航】今年弟弟 4 岁,哥哥 12 岁,合起来是 16 岁。当他们两人的年龄和是 18 岁时,也就是他们年龄和大了 2 岁。仔细想一想,只有哥哥弟弟各大 1 岁时,他们的年龄和才大 2 岁。

根据题意,今年哥哥、弟弟两人的年龄合起来是 4+12=16(岁)。当哥哥、弟弟合起来是 18 岁时,他们的总年龄大了 18-16=2(岁),也就是哥哥大了 1 岁,弟弟大了 1 岁。这时,哥哥的年龄是 12+1=13(岁),弟弟的年龄是 4+1=5(岁)。

举一反三 5

1.爸爸今年 40 岁,妈妈今年 38 岁,当爸爸、妈妈两人的年龄合起来是 82 岁时,爸爸多少岁?妈妈多少岁?

2.今年奶奶 57 岁,妈妈 33 岁,我 7 岁,再过几年我们三个人的年龄和正好是 100 岁?

第18周 找规律填数

★★★★★★★★★★★★★★★★★★★★★★★

　　我们经常看到这样一类题,让你根据已知的数,找出未知的数,填入○里或□里。这就需要根据这些数之间的关系,进行合理的分析、推算,找出规律,得到应该填入的数。通过这样的练习,你不仅可以感到学数学有无穷的乐趣,而且还能长知识、长智慧。

　　一些数按一定的规律排列起来,让我们填上空缺的数,是我们这一周练习的主要内容。在填数时,需要我们仔细观察前后两个数或间隔的两个数之间的关系,或者找出各数的排列规律,依据这些规律找到并填出空缺的数。

○月○日

王牌例题①

　　按规律填出□或○里的数。

(1) 2、4、6、□、10、12、14

(2)

【思路导航】(1)这一排数的排列规律是:后一个数比它前面的一个数多2。

(2)按箭头的方向,后一个数都比它前一个数少5,即前一个数减5等于它后面的一个数。

(1)□在6的后面,所以□里应填6+2=8。

2、4、6、⑧、10、12、14

(2)40 $\xrightarrow{-5}$ 35 $\xrightarrow{-5}$ 30 $\xrightarrow{-5}$ 25 $\xrightarrow{-5}$ 20 $\xrightarrow{-5}$ 15 $\xrightarrow{-5}$ 10

举一反三 1

1.括号里应填几?为什么?

(1) 2、5、(　　)、11、14、(　　)

(2) 18、14、(　　)、(　　)、2

2.想一想,填一填。

(1) 3、5、7、(　　)、11

(2) 3、6、(　　)、12、(　　)、(　　)、(　　)

(3) (　　)、11、9、7、(　　)

(4) 7、11、15、(　　)

(5) 20、18、16、(　　)、12、(　　)、(　　)

(6)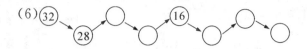

王牌例题 2

根据规律填数。

(1)1、2、4、5、7、8、10、(   )、(   )

(2)2、3、5、8、12、(   )、(   )

【思路导航】(1)在这列数中,第一个数加1是第二个数,第二个数加2是第三个数,第三个数加1是第四个数,第四个数加2是第五个数。依此规律,就可以填出括号里的数了。

(2)这列数中第一个数加1是第二个数,第二个数加2是第三个数,第三个数加3是第四个数,第四个数加4是第五个数,第五个数加5是第六个数。依此规律,就可以填出括号里的数了。

(1)$1 \xrightarrow{+1} 2 \xrightarrow{+2} 4 \xrightarrow{+1} 5 \xrightarrow{+2} 7 \xrightarrow{+1} 8 \xrightarrow{+2} 10 \xrightarrow{+1} (11)$
$\xrightarrow{+2} (13)$

即 1、2、4、5、7、8、10、(11)、(13)

(2)$2 \xrightarrow{+1} 3 \xrightarrow{+2} 5 \xrightarrow{+3} 8 \xrightarrow{+4} 12 \xrightarrow{+5} (17) \xrightarrow{+6} (23)$

即 2、3、5、8、12、(17)、(23)

1.仔细观察,找出规律,再填数。

(1)1、6、7、12、13、（　　　）、（　　　）

(2)12、11、9、8、6、5、（　　　）、（　　　）

2.按规律填数。

(1)1、2、4、7、11、（　　　）

(2)90、80、71、63、56、（　　　）、（　　　）

(3)36、34、33、31、30、（　　　）、（　　　）

○月○日

王牌例题 3

按规律填数。

(1)2、3、5、8、13、（　　　）

(2)15、10、13、10、11、10、（　　　）、（　　　）、7、10

【思路导航】(1)这一排数的规律是前面两个数相加得到第三个数。也就是第一个数加第二个数得到第三个数,第二个数加第三个数得到第四个数,第三个数加第四个数得到第五个数……依此类推,就可以填出括号里的数了。

(2)这一排数的规律应该一个数隔一个数看。

15　10　13　10　11　10　（　）　（　）　7　10
　　 −2　　 −2　　 −2　　 −2

(1)2 加 3 得 5,3 加 5 得 8,5 加 8 得 13,8 加 13 得 21。

2、3、5、8、13、(21)

(2)15、10、13、10、11、10、(9)、(10)、7、10

举一反三 3

1.按规律填数。

(1)3、4、7、11、18、(　　　)、(　　　)

(2)5、7、8、7、11、7、(　　　)、(　　　)

2.想一想,填一填。

(1)5、6、11、17、28、(　　　)、(　　　)

(2)28、24、28、20、28、16、(　　　)、(　　　)

○月○日

王牌例题 4

按规律填数。

(1)25、26、24、25、23、(　　　)、(　　　)

(2)10、20、11、19、12、18、(　　　)、(　　　)

【思路导航】(1)在第一列数中,第一个数加1是第二个数,第二个数减2是第三个数,第三个数加1是第四个数,第四个数减2是第五个数,按规律,第五个数加1是第六个数,第六个数减2是第七个数,就可以填出括号里的数了。

(2)在这列数里,第一个数加10是第二个数,第二个数减9是第三个数,第三个数加8是第四个数,第四个数减7是第五个数,第五个数加 6 是第六个数。依此规律就可以填出括号里的数了。

(1) $25 \xrightarrow{+1} 26 \xrightarrow{-2} 24 \xrightarrow{+1} 25 \xrightarrow{-2} 23 \xrightarrow{+1} (24) \xrightarrow{-2} (22)$

(2) $10 \xrightarrow{+10} 20 \xrightarrow{-9} 11 \xrightarrow{+8} 19 \xrightarrow{-7} 12 \xrightarrow{+6} 18 \xrightarrow{-5} (13)$
$\xrightarrow{+4} (17)$

举一反三 4

1. 按规律填数。

(1) 1、13、2、14、3、15、(　　　)、(　　　)

(2) 35、30、31、26、27、(　　　)、(　　　)

2. 想一想,填一填。

(1) 5、4、8、7、11、10、(　　　)、(　　　)

(2) ④—③—⑥—⑤—⑧—⑦—⑩—○—○

○月○日

王牌例题 5

根据第一个图和第二个图中数字间的关系,在第三个图及第四个图中相应的空格处填上合适的数。

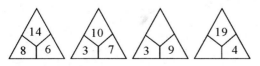

【思路导航】在前两个△中,我们可以发现:△中上面一

个数是下面两个数的和,如 14=8+6,10=3+7,所以 3+9=12,第三个△中的空格应填 12。根据规律,你一定会填第四个△中空出的数吧。

举一反三 5

1. 根据第一个图中三个数的关系,在后面的 6 个图中的空格里填上合适的数。

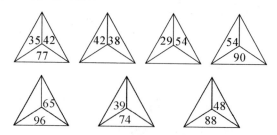

2. 小朋友,你能根据规律填出 ○ 里应该是几吗? 试试看。

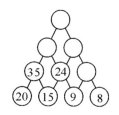

第19周　简单的推理

数学上很多重大的发现和疑难问题的解决都离不开推理,学会了推理,能使小朋友头脑更灵活,变得更聪明。

这一周我们将学习简单推理的初步知识,希望大家能够多观察、多动脑、多分析,来培养我们的观察能力和分析能力。

◯ 月 ◯ 日

王牌例题 ❶

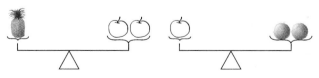

1 个菠萝和几个橘子一样重?

【思路导航】因为 1 个菠萝和 2 个苹果一样重,1 个苹果和2个橘子一样重,那么2个苹果和4个橘子一样重,所以,1个菠萝和4个橘子一样重。

　　1个菠萝和4个橘子一样重。

举一反三 1

　　1. 1个☆＝3个□

　　　　1个□＝3个△

　　　　1个☆＝(　　)个△

　　2. 1头猪 ←换→ 2只羊

　　　　1只羊 ←换→ 4只兔

　　　　2只羊 ←换→ (　　)只兔

　　　　1头猪 ←换→ (　　)只兔

○月○日

王牌例题 ❷

　　【思路导航】因为1个○＝2个□,1个□＝3个△,那么2个□＝6个△,所以1个○＝2个□＝6个△。

　　　　1个○＝6个△

举一反三 2

　　1.
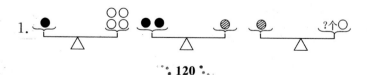

2. 1 支钢笔价格＝2 支中性笔的价格

1 支中性笔的价格＝4 块橡皮的价格

3 支钢笔的价格＝（　　）块橡皮的价格

〇 月 〇 日

王牌例题❸

(1) $\triangle-4=6$　　　　$\triangle=($　　$)$

$\square+\triangle=13$　　　　$\square=($　　$)$

(2) $9+\square=10$　　　　$\square=($　　$)$

$\bigcirc-\square=10$　　　　$\bigcirc=($　　$)$

【思路导航】(1)因为 $\triangle-4=6$，所以 $\triangle=4+6=10$。又因为 $\square+10=13$，所以 $\square=13-10=3$。

(2)因为 $9+\square=10$，所以 $\square=10-9=1$。又因为 $\bigcirc-1=10$，所以 $\bigcirc=1+10=11$。

(1) $\triangle=4+6=10$

$\square=13-10=3$

(2) $\square=10-9=1$

$\bigcirc=1+10=11$

举一反三 3

1. $\bigcirc+5=12$　　　　$\bigcirc=($　　$)$

$\triangle+\bigcirc=20$　　　　$\triangle=($　　$)$

121

2. $\bigcirc - \square = 10$ $\bigcirc = ($ $)$

   $20 - \bigcirc = 6$ $\square = ($ $)$

$\bigcirc$月$\bigcirc$日

王牌例题④▶

$\bigcirc + \bigcirc = 6$ $\bigcirc = ($ $)$

$\triangle + \bigcirc = 8$ $\triangle = ($ $)$

【思路导航】因为 2 个$\bigcirc = 6$,所以 1 个$\bigcirc = 3$。因为$\triangle + 3 = 8$,所以$\triangle = 8 - 3 = 5$。

     $\bigcirc = (3), \triangle = (5)$

举一反三 4

1. $\triangle + \triangle = 18$ $\triangle = ($ $)$

   $\triangle + \bigcirc = 13$ $\bigcirc = ($ $)$

2. $\bigcirc + \square = 10$ $\square = ($ $)$

   $\triangle + \triangle + \triangle = 6$ $\triangle = ($ $)$

   $\triangle + \bigcirc + \bigcirc = 8$ $\bigcirc = ($ $)$

$\bigcirc$月$\bigcirc$日

王牌例题⑤▶

$\triangle + \triangle + \triangle + \star + \star = 14$

☆＋☆＋△＋△＋△＋△＋△＝18

△＝（　　　）　　　☆＝（　　　）

【思路导航】14 里面有 3 个△、2 个☆,18 里面有 5 个△、2 个☆,18 减去 14 等于 4,就是 2 个△的和,那么 1 个△＝2,因为 2＋2＋2＋☆＋☆＝14,☆＋☆＝14－6＝8,所以 1 个☆＝4。

2 个△＝18－14＝4,△＝2。

2 个☆＝14－6＝8,☆＝4。

△＝（2）　　　☆＝（4）

举一反三 5

1. ○＋○＋△＝24　　　　　　　　△＝（　　）

　　△＋△＋△＋○＋○＝32　　　○＝（　　）

2. △＋△＋○＋○＝40　　　　　　△＝（　　）

　　△＋△＋○＋○＋○＋○＋○＝55　　○＝（　　）

第20周　火柴棒游戏(一)

　　用火柴棒做游戏,小朋友一定感兴趣吧?用火柴棒可以拼成许多有趣的图形,在游戏中还能够长知识、长智慧呢。

　　这一周,我们将共同了解火柴棒中的数学,并了解数学的奇妙。火柴棒游戏中有很多的窍门,今后我们将进一步学习,只要同学们大胆尝试,一定可以从中学到许多知识。

○月○日

王牌例题❶

你最少能用几根火柴棒搭成下面的图形呢?

【思路导航】搭一个正方形要用 4 根火柴棒,搭一个三角

形要用3根火柴棒,搭一个长方形要用6根火柴棒,搭一个平行四边形要用4根火柴棒。

举一反三 1

1.你能用火柴棒搭成下面的图形吗?

2.请你用火柴棒摆下面的图形。

○月○日

王牌例题 2

搭一个三角形要3根火柴棒△,你能用5根火柴棒搭两个三角形吗?

【思路导航】搭一个三角形要3根火柴棒,如果分开搭两个单独三角形,需要6根火柴棒,现在只有5根火柴棒,少了1根,那么应把两个三角形合在一起搭。在搭第二个三角形时,利用第一个三角形中的1根火柴棒,两个三角形其中一边公用1根火柴棒,这样用5根火柴棒就可以搭两个三角形了。

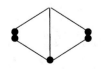

举一反三 2

1. 搭一个正方形要 4 根火柴棒□, 你能用 7 根火柴棒搭出两个正方形吗?

2. 请添上 3 根火柴棒, 使下图变成三个正方形。这三个正方形一共用了几根火柴棒?

○ 月 ○ 日

王牌例题 ③

你能用 9 根火柴棒组成四个相同的小三角形吗?

【思路导航】搭一个三角形要 3 根火柴棒, 如果分开搭四个相同的小三角形, 一共要用 12 根火柴棒, 现在只有 9 根, 少了 3 根, 怎么办呢? 对, 用 3 条公用边。

举一反三 3

1. 用 12 根火柴棒摆成四个大小一样的正方形, 怎么摆?

2. 用 16 根火柴棒可以摆成四个正方形, 仍用 16 根火柴棒要摆成五个同样大小的正方形, 怎样摆?

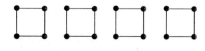

王牌例题④

下图是用 13 根火柴棒摆成的一头牛的形状,牛头朝东,请你移动 2 根火柴棒,使牛的头朝西。

【思路导航】仔细观察上图,不难发现只要把摆成牛头的 2 根火柴棒从东移向西就可以了。如下图:

举一反三 4

1.用火柴棒摆成头朝上的龙虾(如右图所示),移动 3 根火柴棒,使它头朝下。

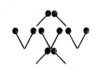

2.下图所示的是一个倒放着且缺一条腿的椅子,请你移动 2 根火柴棒把椅子正过来。

王牌例题⑤

图中有几个正方形？添上 2 根火柴棒，使它变成 8 个正方形，应该怎样添？

【思路导航】仔细观察上图，可以数出图中有 5 个正方形，添上 2 根火柴棒，使它变成 8 个正方形，我们只要添上作为正方形的边的火柴棒即可。如下图：

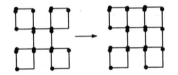

（7 个小正方形，1 个由 4 个小正方形拼成的大正方形，共 8 个正方形。）

举一反三5

1. 图中有几个三角形？添上 2 根火柴棒，得到 5 个三角形。

2. 你能在下图中加 3 根火柴棒，使原图变成两个一样的"凸"字形吗？试试吧。

第21周　变与不变

　　小朋友,你知道把石头放进瓶子里,瓶子里的水会有什么变化吗? 对了,瓶子里的水位就会升高。把放进去的石头再取出来,又会发生什么变化呢? 下面,我们就来找一找变与不变的规律。

　　添加一些物体,总量就会增加;取出一些物体,总量就会减少。

　　而仅仅改变物体的形状,物体的总量不会发生改变。

　　小朋友,只要你抓住这些规律,就能解决更多的问题。

○月○日

王牌例题①

　　下面左边两只杯子的形状一样,里面盛的水也一样多。

如果把左边两杯水分别倒入右边的两个空杯子里,右边两个杯子里的水一样多吗?

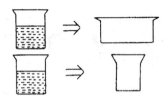

【思路导航】两只同样的杯子盛着一样多的水,把这两只杯子里的水分别倒入大小不同、形状不同的杯子里,杯子的形状变了,而水的总量是不会变的。

右边两个杯子里的水一样多。

举一反三 1

1. 两边的苹果个数相等吗?

2. 白球的个数和花球的个数一样多。如果把白球放入左边玻璃杯内,把花球放入右边玻璃杯内,左边杯里的白球多还是右边杯里的花球多?

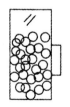
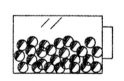

王牌例题 2

下图中上一排的杯子里没有石头,各放入一块石头后分别变成下排图所示,哪个杯子里放的石头最大?

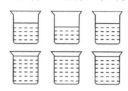

【思路导航】要知道哪个杯子里放入的石头最大,我们可以这样想:盛水的杯子是不是一样大? 里面盛的水是不是一样多? 杯里放入石头后,水位发生了什么变化?

通过观察可知:三个形状和大小相同的杯子里分别盛着不一样多的水,各放入一块石头后,三个杯里的水位一样高。而大石头放进杯子里,水位升高得多,小石头放进杯子里,水位升高得少。所以原来水最少的中间的那个杯子里放进的石头最大。

中间杯子里放的石头最大。

举一反三 2

1.分别在下图中上排装水的杯子里各放入一块铁块后变成下排的图,哪个杯子里面放入的铁块最小?

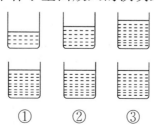

①　　　②　　　③

2.把鹅蛋、鸡蛋、鸽子蛋分别放入 3 个碗里,猜猜它们分别被放在了哪个碗里?

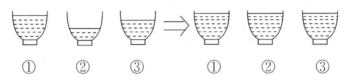

① ② ③ ⟹ ① ② ③

王牌例题 ❸

下图中上排的三个杯子里分别放着大小不同的一块石块,石块被取出后,变成了下排图所示,哪个杯子里的石块最大?

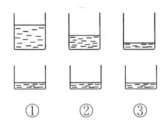

① ② ③

【思路导航】把石块从杯子中拿走,水位会下降,原来杯中的水位不相同,取出石块后,水位相同,哪个杯子中取出的石块最大,哪个杯子的水位就下降得最多。①号杯水位下降得最多,所以①号杯里的石块最大。也可以这样想:取出石块后水位相同,原来水位最高的杯子里放入的石块最大,反之,水位最低的杯子里放入的石块最小。从图中可以看出:原来①号杯的水位最高,所以放进去的石块最大。

1.给下图中上排杯子里各放入一块大小不同的石块,将石块拿出来后,变为下排图所示,哪个杯子里的石块最小?

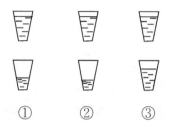

2.给瓶子里各放入一块大小不同的铁块,铁块被拿出来后,瓶子里的水位发生了变化(如下图所示)。哪个瓶子里放入的铁块最大?

①   ②   ③   ⇒   ①   ②   ③

○月○日

王牌例题 ④

两块一样的方糖分别放入下面的两个杯子里,哪杯水甜一些?

【思路导航】两个杯子里盛的水不一样多,每杯水里放入

一块同样的方糖,水少的那杯相对于水多的那杯会甜一些。所以右边杯子的水甜一些。

举一反三 4

1. 在下面的四杯白开水中,每杯均放入同样的两块方糖,哪一杯水最甜?为什么?

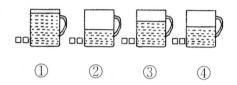

① ② ③ ④

2. 三个杯子里的水一样多,放入同样的糖块,但糖块数量不同,哪一杯水最甜?

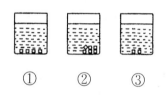

① ② ③

○月○日

王牌例题 5

下面的三杯糖水一样甜,哪杯水里放进去的糖最少?

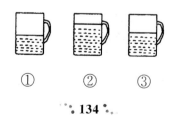

① ② ③

【思路导航】通过观察发现,三个杯子里盛的水不一样多,但杯子里的水一样甜,水最少的那个杯子里所放的糖最少,水最多的杯子里放进去的糖最多。

①号杯里放进去的糖最少。

举一反三 5

1. 如下图所示的四杯糖水一样甜,哪杯水放进去的糖最少?

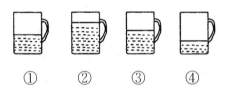

①　　②　　③　　④

2. 如下图所示的四杯盐水一样咸,哪杯水里放进去的盐最多?

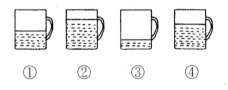

①　　②　　③　　④

第22周 排队去秋游

　　小朋友们排队去秋游啦！小明前面有 9 个人，你知道从前往后数他是第几个人吗？这就是我们这周要研究的排队问题。这类问题一般都以一行人中的其中一人为标准来数人数，知道这个人从左往右（或者从前往后）数的位置以及从右往左（或从后往前）数的位置，就可以求出这一行的人数了。

　　两点提示：

　　1.要弄清排队的顺序、方向及作为标准的人（或物）的位置。

　　2.计算总人数时，作为标准的人（或物）如果计算了两次，就要减去 1；如果没有计算，就要加上 1。既不能重复，也不能遗漏。

王牌例题 ❶

小朋友们排队去秋游,小明前面有 9 个人,从前往后数他是第几个人? 小红后面有 6 个人,从后往前数她是第几个人?

【思路导航】

从上图可以看出,"小明前面有 9 个人",从前往后数,数到小明是第 10 个人。

"小红后面有 6 个人",从后往前数,数到小红是第 7 个人。

9＋1＝10(个)

6＋1＝7(个)

答:从前往后数小明是第 10 个人,从后往前数小红是第 7 个人。

举一反三 1

1.小动物们排队做操,小猴前面有 8 只小动物,从前往后数它是第几个? 从后往前数小羊是第 5 个,它后面有几只小动物?

2.小鸭子排队学游泳,从左往右数小鸭咪咪是第 6 位,它的左边有几只小鸭子?小鸭贝贝的右边有 7 只小鸭子,从右往左数它是第几个?

〇 月 〇 日

王牌例题 ②

体育课上同学们排成一队,小阳前面有 4 个同学,后面有 7 个同学,这一队一共有多少个同学?

【思路导航】

由上图看出,小阳的前面有 4 个同学,后面有 7 个同学,可以知道小阳的前后共有 4+7=11(个)同学,加上小阳一共有 11+1=12(个)同学。

4+7+1=12(个)

答:这一队一共有 12 个同学。

举一反三 2

1.小朋友们排队买电影票,亮亮前面有 3 个小朋友,后面有 5 个小朋友。一共有多少个小朋友在排队买票?

2.小动物们进行长跑比赛,从前往后数小兔是第 4 个,它后面还有 10 只小动物,一共有多少只小动物参加比赛?

王牌例题③

学校走廊里有一排盆栽花,从左往右数,白海棠是第 6 盆;从右往左数,白海棠是第 4 盆。这一排一共有多少盆花?

【思路导航】

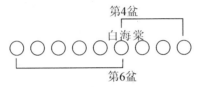

从上图可以看出:"从左往右数,白海棠是第 6 盆",这 6 盆中包括了白海棠;"从右往左数,白海棠是第 4 盆",这 4 盆中也包括了白海棠。把这两个数加起来,白海棠就被多计算了 1 次。因此,还要从中减去 1。所以这一排一共有 9 盆花。

6+4−1=9(盆)

答:这一排一共有 9 盆花。

举一反三3

1.小朋友排队滑滑梯,从前往后数,小军是第 4 个;从后往前数小军是第 5 个。一共有多少个小朋友排队滑滑梯?

2."小小艺术团"的小演员们在排队,从左往右数,小丽是第 7 个;从右往左数,小丽是第 6 个。一共有多少个小朋友在排队?

王牌例题④

10只小动物排一队,排在小猫前面的有6只小动物,排在小猫后面的有几只小动物?

【思路导航】

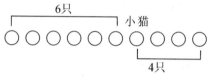

从上图看,用总数10只减去排在小猫前面的6只,剩下的4只中包括了小猫和排在小猫后面的小动物。再从这4只中减去小猫,就得到了排在小猫后面的小动物有3只。

$10-6-1=3$(只)

答:排在小猫后面的有3只小动物。

举一反三4

1. 15个同学排队借书,排在小敏前面的有8个同学,排在小敏后面的有几个同学?

2. 书架上有一排书,一共12本,《故事大王》的右边有4本书,《故事大王》的左边有几本书?

王牌例题⑤

12个小朋友排队回家,从前往后数,小力排在第10个,从后往前数,他排在第几个?

【思路导航】

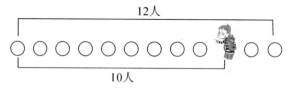

从上图看,从前往后数,小力排在第 10 个,也就是说从前面第 1 个人到小力一共是 10 个人,那么在小力的后面就有 12-10=2(个),所以,从后往前数,小力排在第 3 个。

12-10+1=3(个)

答:从后往前数,小力排在第 3 个。

举一反三 5

1.元宵节灯展上,18 盏灯挂成一行,从左往右数,兔子灯是第 8 盏;从右往左数,兔子灯是第几盏?

2.16 只小动物排队做游戏,从后往前数,小鹿排第 7 个;从前往后数,小鹿排第几个?

第23周 移多补少

如果有两组数量不同的物体,怎样才能使它们同样多呢?通过观察、比较,找出哪组多,多几个,然后把多的部分平均分成两份,其中的一份补给少的那一组,这样两组物体的数量就同样多了。这样做就是移多补少。

在解决移多补少的问题时,要弄清在怎样的情况下才会变得同样多,这里要移走的数量实际就是相差的数量的一半,这样才能顺利地解决问题。

○月○日

王牌例题 ①

比一比,下面两行哪一行的★多?怎样移,才能使两行★的颗数同样多?

★★★★★★★★★★

★★★★★

【思路导航】第一行有 9 颗★,第二行有 5 颗★,第一行比第二行多 4 颗★,4 能分成 2 和 2,从第一行移 2 颗★给第二行,两行★的颗数就同样多了。

移2颗

举一反三 1

1.想一想,怎样移,才能使两行○的个数同样多?

○○○○○○○○

○○○○○○

2.摆一摆,从第二行移几个△到第一行,才能使两行△的个数同样多?

△△△△△△△

△△△△△△△△△△△△

○月○日

王牌例题 2

想一想,你有什么办法使两队小朋友的人数一样多?

【思路导航】把题目中的意思用图表示:

第一队:
第二队: 移3人

从图上可以看出,第一队比第二队多6个人,把这6个人平均分成两份,每份是3个人,请这3个人到第二队去,两队人数就相等了。

$10-4=6$(个) $6÷2=3$(个)

答:第一队的3个人到第二队去,两队的人数就同样多了。

举一反三2

1. 移动蝴蝶,使两行的蝴蝶一样多。

2. 有两堆积木,第一堆有12块,第二堆有18块。怎样移动,两堆积木就一样多了?

○月○日

王牌例题3

移一移,使上下两行的○相差4个。

○○○○○
○○○○○

【思路导航】观察发现,第一行与第二行的○个数相等,都是5个,要使上下两行的○相差4个,即一行比另一行多(或少)4个。从第一行拿掉4个○或从第二行拿掉4个○,都能使上、下两行的○相差4个。也可以从第一行移2个○

到第二行,或者从第二行移 2 个○到第一行,也都能使上下两行的○相差 4 个。

1. 要使上行与下行的☆相差 2 个,怎样移呢?

☆☆☆☆☆
☆☆☆☆☆

2. 移一移,使左右两列的△相差 6 个。

△　△

△　△

△　△

△　△

△　△

△　△

○月○日

王牌例题 ④

小白兔有 15 个萝卜,小黑兔有 18 个萝卜。兔妈妈又买来 7 个萝卜,怎样分才能使两只小兔的萝卜个数一样多?

【思路导航】小白兔与小黑兔的萝卜个数不相等,小白兔比小黑兔少 3 个萝卜,先把这 3 个萝卜拿出来,与新买的 7 个萝卜合起来是 10 个萝卜,再把这 10 个萝卜平均分给两只小兔,这样每只小兔的萝卜个数就同样多了,每只小兔各有 20 个萝卜。小白兔原来有 15 个萝卜,再添上 5 个萝卜才是 20

个,所以应该分给小白兔 5 个萝卜。小黑兔原来有 18 个萝卜,再添上 2 个萝卜是 20 个,所以应该分给小黑兔 2 个萝卜。

应该分给小白兔 5 个萝卜,小黑兔 2 个萝卜。

举一反三 4

1. 小白鸭有 8 条鱼,小灰鸭有 11 条鱼,鸭妈妈又买来 5 条鱼,怎样分两只小鸭才有同样多的鱼?

2. 移一移,使三行的 ☆ 同样多。

☆ ☆ ☆ ☆
☆ ☆ ☆
☆ ☆ ☆ ☆ ☆ ☆ ☆ ☆

○ 月 ○ 日

王牌例题 5

小白兔有 6 棵小白菜,小白兔拿出 1 棵给小黑兔后,两只小兔的小白菜同样多,小黑兔原来有几棵小白菜?

【思路导航】小白兔有 6 棵小白菜,送给小黑兔 1 棵后,它们的小白菜棵数同样多,这时小白兔、小黑兔都有 5 棵小白菜,而小黑兔的 5 棵小白菜中有 1 棵是小白兔给的,这棵小白菜要还给小白兔,所以小黑兔原来只有 4 棵小白菜。还可以怎样想呢?

6-1=5(棵)　　　5-1=4(棵)

答:小黑兔原来有 4 棵小白菜。

1.第一盒有 8 只皮球,从第一盒中拿出 1 只放入第二盒,这时两盒皮球数就一样多了,第二盒原来有几只皮球?

2.小红有 8 支铅笔,给小明 2 支铅笔后,两人铅笔的支数同样多,小明原来有几支铅笔?

第24周 单数和双数

　　小朋友,你知道吗? 像 1、3、5、7、9 这样的数叫做单数,像 2、4、6、8、10 这样的数叫做双数。一个数两个两个地分,正好分完,这个数就是双数。而两个两个地分,最后还多 1 个,这个数就是单数。单数与双数相加、相减有如下特点:

　　(1)双数＋双数＝双数

　　　　双数－双数＝双数

　　(2)单数＋单数＝双数

　　　　单数－单数＝双数

　　(3)双数＋单数＝单数

　　　　双数－单数＝单数

　　　　单数－双数＝单数

　　根据上面这些规律,我们可以解决一些有趣的问题。

　　小朋友,单数和双数有它们的特性,在日常生活实践中有广泛的运用,通过不断学习,你会发现更多有趣的数学知识。让我们多观察周围的事物,多留心身边的问题。

王牌例题❶

下面有 10 个数,请你把它们分一分。

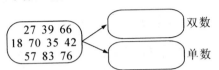

【思路导航】分清双数和单数,只要看这个数的个位,个位上是 1、3、5、7、9 的就是单数;个位上是 0、2、4、6、8 的就是双数。

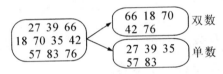

举一反三 1

1. 这些青蛙该跳进哪个池塘里?用线连一连。

单数　　　　　　　　双数

2. 下面有 10 个数,哪些是双数?哪些是单数?

21、60、25、19、88、32、73、64、97、36

双数:_____

单数:_____

王牌例题 ②

想一想,括号里可以填哪些数?

(1)( )－6＝单数　　(2)6＋( )＝双数

(3)( )－7＝单数　　(4)7＋( )＝双数

【思路导航】(1)6 是一个双数,根据"单数－双数＝单数",就有单数－6＝单数,所以括号里可以填大于 6 的任意一个单数。

(2)根据"双数＋双数＝双数",就有 6＋双数＝双数,所以括号里可以填任意一个双数。

(3)7 是一个单数,根据"双数－单数＝单数",就有双数－7＝单数,所以括号里可以填大于 7 的任意一个双数。

(4)根据"单数＋单数＝双数",就有 7＋单数＝双数,所以括号里可以填任意一个单数。

举一反三 2

1.括号里可以填哪些数?

(1)( )－3＝单数

(2)( )－3＝双数

(3)3＋( )＝双数

(4)10＋( )＝单数

2. □里可以填什么数?

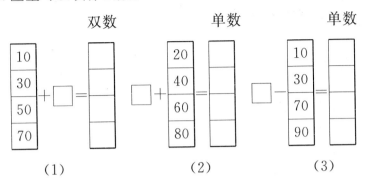

(1)　　　　　(2)　　　　　(3)

○月○日

1、2、3、4、5 的和是单数还是双数?

【思路导航】可以把这五个数加起来,看和是单数还是双数。也可以把这五个数分成单数一组、双数一组,再看单数相加的结果。

方法一:因为 1+2+3+4+5=15,15 是单数,所以 1、2、3、4、5 的和是单数。

方法二:因为 1、3、5 的和是单数,而"单数+双数=单数",所以 1、2、3、4、5 的和是单数。

举一反三 3

1. 有一筐苹果,两个两个地拿,最后正好拿完,一个也不剩,问这筐苹果的个数是单数还是双数?

2.自然数 1、2、3、4、5、6、7、8、9、10 的和是单数还是双数?

○ 月 ○ 日

王牌例题 ④

晚上,小明在灯下做作业的时候,突然停电了,小明拉了两下开关。爸爸回来后,到小明房间又拉了三下开关。等来电以后,小明房间的灯是亮的还是不亮的?

【思路导航】我们先画一个表来找找规律。

原来灯	拉1下	拉2下	拉3下	拉4下	拉5下	……
亮	不亮	亮	不亮	亮	不亮	……

以上可以看出:拉单数下,灯不亮。拉双数下,灯亮。再看小明房间灯的开关一共被拉了几下,从而就可以得出结果。

2+3=5(下),5 是单数,所以灯是不亮的。

举一反三 4

1.“王牌例题 4”中,如果停电后小明拉了三下开关,爸爸回来后又拉了五下开关。等来电以后,小明房间的灯是亮的还是不亮的?

2.一辆公共汽车在东站和西站之间往返,从东站到西站或从西站到东站为开一趟。若这辆公共汽车从东站出发开了 11 趟之后,它是在东站还是在西站?

王牌例题⑤▶

11根香蕉分给3个小朋友,不要求每个小朋友分得的香蕉根数一样多,但分得的香蕉根数都是双数,想一想,能分吗?

【思路导航】每个小朋友分得的香蕉根数要是双数,根据"双数+双数=双数",那么香蕉的根数也应是双数,而11根香蕉是单数,由此可知不能这样分的。

举一反三5

1.高年级同学做了18朵红花送给低年级6个班的"三好学生",要求每个班分得的红花朵数都是单数,能这样分吗?

2.9根跳绳分给两个班,如果要求每个班分得的根数都是单数,能这样分吗?

第25周 没有那么简单

专题简析

在一次体育课上，老师给同学们提出了这样一个问题：把四根绳子连接成一根长绳子，要打几个结呢？明明说："要打 4 个结。"红红想了想说："只要打 3 个结。"小朋友，你说应该打几个结呢？

在实际生活中，有关间隔问题看起来容易解决，但计算起来并没有那么简单。这就需要小朋友从不同的角度去认真思考问题，再正确解答。

○ 月 ○ 日

王牌例题 ①

把一根木头锯成 5 段，要锯几次？如果每锯一次用时 2 分钟，一共要锯多少分钟？

【思路导航】先看右边的示意图：

从图中可知，把一根木头锯成 5 段，实际只需锯 4 次，题中告诉我们每锯一次用时 2 分钟,所以锯 4 次需要 2＋2＋2＋2＝8(分),也可用乘法计算:2×4＝8(分)。

5－1＝4(次)

4 个 2 相加:2＋2＋2＋2＝8(分)

也可以用乘法计算:2×4＝8(分)

答:要锯 4 次,一共要锯 8 分钟。

举一反三 1

1.把一根钢管截成 6 段,每截一次要 1 分钟,一共需要几分钟?

2.把一根粗细均匀的木头锯成 3 段需要 20 分钟,每锯一次平均要用多少分钟?

○月○日

王牌例题 2

时钟在 2 点钟敲 2 下,2 秒敲完;4 点钟敲 4 下,几秒敲完?

【思路导航】我们先来画出示意图:

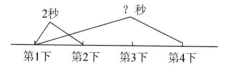

从图上看,时钟敲 2 下,中间有 2－1＝1(个)间隔,这一个间隔是 2 秒;时钟敲 4 下,中间有 4－1＝3(个)间隔,所用的时间:

用加法计算:2＋2＋2＝6(秒)

用乘法计算:2×3＝6(秒)

答:6秒敲完。

1.时钟敲 3 下,2 秒敲完;时钟敲 5 下,几秒敲完?

2.时钟 4 点钟敲 4 下,3 秒敲完,8 点钟敲 8 下,几秒敲完?

○月○日

王牌例题 ③

小明家住在三楼,他每上一层楼要走 14 级台阶。小明从一楼到三楼要走多少级台阶?

【思路导航】

我们用图来表示:

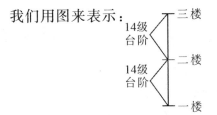

从图上可以看出:从一楼到二楼要走 14 级台阶,从二楼到三楼也要走 14 级台阶,这样,从一楼走到三楼要走两个 14 级台阶,共 14＋14＝28(级)台阶。

14＋14＝28(级)

答:小明从一楼到三楼要走 28 级台阶。

1.小亮从一楼到三楼用了 2 分钟,照这样的速度,他从一楼到六楼需要几分钟?

2.李林家住在四楼,他从一楼到二楼要走 18 级台阶,那么他从一楼到四楼一共要走多少级台阶?

○ 月 ○ 日

王牌例题 4

一些同样长的短绳子,每两根打一个结,连成一根长绳子。

(1)如果一共打了 4 个结,原来有几根绳子?

(2)如果每根绳子长 1 米,那么连成的长绳有几米?

【思路导航】画出示意图:——×—×—×—×——

从图上看,如果打了 4 个结,原来就有 4＋1＝5(根)短绳子。绳子的根数比打结的个数多 1。如果每根短绳长 1 米,那么连成的长绳就有 5 米。

举一反三 4

1.一根粗细均匀的木棒锯成同样长的小段,锯了 3 次,锯成的小段每段长 20 厘米,原来这根木棒长多少厘米?

2.把一根钢管锯成同样长的小段,锯了 5 次,锯成的小段每段长 10 厘米,原来这根钢管长多少厘米?

王牌例题❺▶

同学们在学校的操场上插一排彩旗，一共插了 10 面彩旗，相邻两面彩旗之间相距 2 米，问第一面彩旗到最后一面彩旗之间有多少米？

【思路导航】先看下面的示意图：

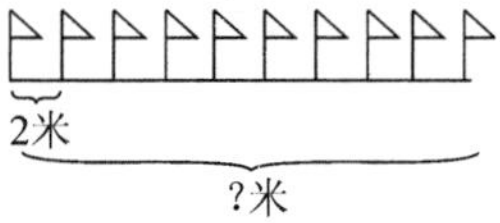

从图中可以看出，10 面彩旗之间有 9 个间隔，每个间隔长 2 米，9 个间隔的长度就是第一面彩旗到最后一面彩旗之间的长度。

用加法计算：

$2+2+2+2+2+2+2+2+2=18$（米）

用乘法计算：$2×9=18$（米）

答：第一面彩旗到最后一面彩旗之间有 18 米。

举一反三 5

1.学校的操场上插了一排彩旗，一共 6 面，每两面彩旗之间相距 10 米，第一面彩旗到第六面彩旗之间有多少米？

2.马路边放了一些椅子，从起点到终点共有 21 把椅子，每两把椅子之间有一头石狮子，问这条马路边共有多少头石狮子？

第26周　简单的判断

　　三个小朋友比年龄：小明比小林大，小红比小林小，你知道他们中谁大谁小吗？

　　在日常生活中，我们经常会遇到这类问题。这些问题的解决，需要我们认真审题，仔细分析，进行有理有据的推理，最终找到问题的答案，做出正确的判断。

　　判断推理和我们常见的一些数学题不同，不需要或很少用到计算。解答时只要认真审题，仔细分析，通过列表等方法进行推理，就一定能找到最后的结论，做出正确的判断。

○ 月 ○ 日

王牌例题 ❶

　　有三种水果，请根据动物所说的话，猜一猜哪种水果最重？哪种水果最轻？

香蕉比桃重

苹果比桃轻

【思路导航】从猴子说的话中知道香蕉比桃重，从小兔说的话中知道桃比苹果重。这样，我们就知道三种水果中，香蕉最重，苹果最轻。

举一反三 1

1. 黑兔、白兔和灰兔赛跑，黑兔说："我跑得不是最快的，但比白兔快。"谁跑得最快？谁跑得最慢？

2. 光明幼儿园有三个班，根据下面三句话，请你猜一猜哪个班人数最多？哪个班人数最少？

(1) 中班人数比小班少；

(2) 中班人数比大班少；

(3) 大班人数比小班多。

_____人数最多，_____人数最少。

〇 月 〇 日

王牌例题 2

桌上有三盘梨，请根据小猫和小狗所说的话，猜一猜哪一盘梨最多？哪一盘梨最少？

【思路导航】小狗说"第三盘比第二盘少5个",也可以说成"第二盘比第三盘多5个",再根据小猫说的"第一盘比第三盘多3个",就可以知道,第一盘、第二盘都比第三盘多,也就是第三盘最少。接着想:与第三盘比,第一盘多3个,第二盘多5个,这样就知道第二盘的梨最多。

第二盘梨最多,第三盘梨最少。

举一反三 2

1. 三个小朋友比大小,根据下面两句话,请你猜一猜谁最大?谁最小?

(1)燕燕比芳芳小1岁;

(2)燕燕比阳阳大2岁。

2. 小明、小华和小红三个小朋友分别买了几支同样的铅笔,根据下面的话,请你猜猜谁买的铅笔最多?谁买的铅笔最少?

(1)小明比小华多2支;

(2)小红比小明少3支。

○月○日

王牌例题 3

4辆汽车进行了4场比赛,每场比赛的结果如下:

（1）1号汽车比2号汽车跑得快；

（2）2号汽车比3号汽车跑得快；

（3）3号汽车比4号汽车跑得慢；

（4）4号汽车比1号汽车跑得快。

几号汽车跑得最快？

【思路导航】根据"1号汽车比2号汽车跑得快""2号汽车比3号汽车跑得快"可以知道，1号汽车比2号、3号汽车跑得都快；再根据"4号汽车比1号汽车跑得快"就可以知道谁跑得最快了。

4号汽车跑得最快。

举一反三 3

1.甲、乙、丙、丁进行了4场赛跑，每场比赛结果如下：

（1）甲比乙跑得快；

（2）乙比丙跑得快；

（3）丙比丁跑得慢；

（4）丁比甲跑得快。

谁跑得最快？谁跑得最慢？

2.小清、小红、小琳、小强四个人比高矮。

小清说："我比小红高。"

小琳说："小强比小红矮。"

小强说："小琳比我还矮。"

请按从高到矮的顺序把他们的名字写出来：

_____、_____、_____、_____

王牌例题 ❹

明明、亮亮和刚刚三个人是好朋友,他们的爸爸有一位是工人、有一位是医生、还有一位是解放军。请你根据下面三句话,猜一猜他们的爸爸的职业。

(1)明明的爸爸不是工人;

(2)亮亮的爸爸不是医生;

(3)明明的爸爸和亮亮的爸爸正在听一位当解放军的爸爸讲战斗故事。

【思路导航】从"明明的爸爸和亮亮的爸爸正在听一位当解放军的爸爸讲战斗故事"这句话中推出明明和亮亮的爸爸不可能是解放军,这样就知道刚刚的爸爸一定是解放军,其余两个人的爸爸,一位是工人,一位是医生。从"明明的爸爸不是工人"可知,明明的爸爸一定是医生。那么亮亮的爸爸就是工人。

本题也可用填表的方法找答案,具体方法如下:

第一步:根据第一、二句话填下表。

	工人	解放军	医生
明明	×		
亮亮			×
刚刚			

第二步:根据第三句话知道明明和亮亮的爸爸都不是解放军,当解放军的一定是刚刚的爸爸,继续填表。

	工人	解放军	医生
明明	×	×	
亮亮		×	×
刚刚	×	√	×

第三步:最后在表中找答案。

	工人	解放军	医生
明明	×	×	√
亮亮	√	×	×
刚刚	×	√	×

明明的爸爸是医生,亮亮的爸爸是工人,刚刚的爸爸是解放军。

举一反三 4

1.张、黄、李分别是三个小朋友的姓,根据下面三句话,请你猜一猜三个小朋友各姓什么。

(1)甲不姓张;(2)姓黄的不是丙;(3)甲和乙正在听姓李的小朋友唱歌。

请你用列表的方法来分析:甲姓_____,乙姓_____,丙姓_____。

2.张老师把红、白、蓝三个气球分别送给三个小朋友。根据下面三句话,请你猜一猜他们分到的各是什么颜色的气球。

(1)小春说:"我分到的不是蓝气球。"

(2)小宇说:"我分到的不是白气球。"

(3)小华说:"我看见张老师把蓝气球和红气球分给另外

两个小朋友了。"

　　小春分到＿＿＿＿气球,小宇分到＿＿＿＿气球,小华
分到＿＿＿＿气球。

王牌例题⑤

　　一个岛上住着说谎话的和说真话的两种人。说谎话的
人句句是谎话。说真话的人句句是真话。如果有一天,你去
岛上探险,碰到了岛上的三个人:王、李和张,相互交谈中,有
这样一段对话:

　　王说:"李和张两个人都在说谎话。"

　　李说:"我没有说谎话。"

　　张说:"李确实在说谎话。"

　　小朋友,你能知道他们三个人中,有几个人说谎话,有几
个人说真话吗?

　　【思路导航】因为李和张两个人说的话正好相反,所以他
们两个人中,一定有一个人在说谎话,另一个人在说真话;由
此又可以知道,他们两个人不可能都说谎话,所以王必定在
说谎话。

　　三个人中有两个人说谎话,有一个人说真话。

举一反三5

　　1. A、B、C 三名运动员在一次运动会上都得了奖。他们
参加的项目分别是篮球、排球和足球。现在我们知道:A 的

身材比排球运动员高;足球运动员比 C 和篮球运动员都矮。请你想一想:

　　A 是 _____ 运动员;*B* 是 _____ 运动员;*C* 是 _____运动员。

　　2.爸爸买回来三个皮球,两个红的,一个黄的。爸爸叫哥哥和妹妹背对背坐着,给哥哥一个红皮球,给妹妹一个黄皮球,把剩下的一个球藏在自己背后,爸爸让他们根据各自手里皮球的颜色猜他手里皮球的颜色,谁猜对了就把球给谁,那么谁一定能猜对呢?

第27周 算式猜谜

小朋友,你一定喜欢猜谜吧!算式谜通常是给出一个算式,但算式中却用一些汉字、字母、符号、图形等来表示特定的数字,要求小朋友动脑筋、想办法,找到它们所代表的数字。

解算式谜要统观全局,掌握特点,根据一定的法则和逻辑推理的方法,找到它们所代表的数字。

○月○日

王牌例题 ❶

根据所给算式,推算出每个图形所代表的数。

```
    ☆  5
 + 1  △
 ─────────
    4  7
```

☆＝(　　　)　　△＝(　　　)

【思路导航】根据加减法之间的关系,先看个位,两个数相加的和得7,其中一个加数是5,可以推算出另一个加数△所代表的数是2;再看十位,☆+1=4,可以推算出☆所代表的数是3。这个加法算式是:35+12=47

☆=(3)　　△=(2)

举一反三 1

1.下列算式中的汉字各表示几?

(1)　　快　3
　　＋　4　乐
　　―――――
　　　　6　8

(2)　　4　笑
　　＋欢　6
　　―――――
　　　9　9

快=(　　)　乐=(　　)　　欢=(　　)　笑=(　　)

2.下列算式中的汉字各表示几?

　　光　明
　＋明　明
　――――――
　　5　6

光=(　　　　)　　明=(　　　　)

○月○日

王牌例题 ❷

下列算式中的字母分别表示几?

　　5　A
　＋B　6
　――――
　　9　4

A=(　　　)

B=(　　　)

【思路导航】根据加减法之间的关系,先看算式的个位,

一个数加上 6，和不可能是 4，说明这两个数相加的和一定满
十，这样就可以推算出 A 所代表的数是 8；再看十位，5 加上
一个数再加上个位相加满十进来的 1 是 9，可以推算出 B 所
代表的数是 3。这个加法算式是：$58+36=94$

$$A=(8) \qquad B=(3)$$

举一反三 2

1.下列算式中的图形分别表示几？

(1)　　3　△　　　　　　　　(2)　　4　□
　　　＋☆　8　　　　　　　　　＋⊙　5
　　　─────　　　　　　　　　─────
　　　9　4　　　　　　　　　　7　0

△＝（　）　☆＝（　）　　　　□＝（　）　⊙＝（　）

2.下列算式中的图形分别表示几？

　　♡　7
　＋2　☆
　─────
　　9　4

♡＝（　　　）　☆＝（　　　）

○ 月 ○ 日

王牌例题 3

想一想，每种花各代表一个什么数？

$$
\begin{array}{r}
6 \ \text{✿} \\
- \ \text{✿} \ 2 \\
\hline
1 \ 6
\end{array}
$$

✿＝（　　　）　✿＝（　　　）

169

【思路导航】从个位上看,一个数(❀所代表的数)减 2 的差是 6,可以推算出❀所代表的数是 8;从十位上看,6 减去一个数(❀所代表的数),所得的差是 1,可推算出❀代表的数是 5。这个减法算式是:68－52＝16

$$❀＝(8) \quad ❀＝(5)$$

举一反三 3

在□里填上合适的数。

1.
```
    6 □
 －  □ 2
 ───────
    2 3
```

2.
```
    □ 8
 －  3 □
 ───────
    6 4
```

○月○日

王牌例题 ❹

在□里填上合适的数。
```
    8 □
 －  □ 6
 ───────
    5 5
```

【思路导航】先看算式的个位,一个数减去 6,差是 5,说明这是一个退位减法题,推算出个位方框里的数是 1;再看十位 8 退 1 后还剩 7,7 减去一个数,差是 5,这样就推算出十位方框里的数是 2。
```
    8 ①
 －  ② 6
 ───────
    5 5
```

在□里填上合适的数。

1.
$$
\begin{array}{r}
7\ \square \\
-\ \square\ 5 \\
\hline
3\ 7
\end{array}
$$

2.
$$
\begin{array}{r}
\square\ 4 \\
-\ 5\ \square \\
\hline
2\ 5
\end{array}
$$

○月○日

王牌例题⑤

请你猜一猜下列算式中的汉字各表示几。

$$
\begin{array}{r}
数\ 0 \\
-\ 2\ 学 \\
\hline
5\ 学 \\
+\ 好\ 1 \\
\hline
7\ 6
\end{array}
$$

数＝（　　）

学＝（　　）

好＝（　　）

【思路导航】先从加法算式算起,个位上,"学"＋1＝6,所以推算出"学"表示5;十位上,5＋"好"＝7,推算出"好"表示2。再看减法算式,减数个位上的"学"表示5,被减数的个位上是0,不够减,说明这是一道退位减法题,这样,被减数的十位上就应该是8,8-1＝7,7-2＝5,推算出"数"表示8。

$$\begin{array}{r} 8\ 0 \\ -\ 2\ 5 \\ \hline 5\ 5 \\ +\ 2\ 1 \\ \hline 7\ 6 \end{array}$$

数＝(8)　　学＝(5)　　好＝(2)

举一反三 5

猜一猜下列算式中的汉字代表的数是几。

1.
$$\begin{array}{r} 幸\ 9 \\ -\ 4\ 福 \\ \hline 2\ 幸 \\ +\ 好\ 1 \\ \hline 7\ 7 \end{array}$$

幸＝(　　)

福＝(　　)

好＝(　　)

2.
$$\begin{array}{r} 学\ 习 \\ +\ 学\ 习 \\ \hline 爱\ 8 \\ -\ \ 爱 \\ \hline 7\ 1 \end{array}$$

爱＝(　　)

学＝(　　)

习＝(　　)

第28周 巧算速算(一)

专题简析

我们已经认识了 20 以内的数,在这个基础上学习计算,应该熟练地掌握 20 以内数的加减法,这是今后学习新知识的基础,所以我们必须学好这些知识。

在计算 20 以内进位加、退位减时,可以根据数的特征,采用灵活的方法进行巧算,使计算简便。

○月○日

王牌例题 1

计算:9＋6＝　　　4＋8＝

【思路导航】计算 9＋6 时,可以采用凑十法计算,用 9＋6 来

$$9+6=\begin{matrix}15\\[-2pt]\underbrace{}\\10\\[-2pt]\underline{}\\15\end{matrix}$$

计算,也就是想:9＋6＝9＋1＋5＝10＋5＝15。

计算 4＋8 同样这样想:4＋8＝8＋2＋2＝10＋2＝12。

9＋6＝15　　　4＋8＝12

1.在括号里填上合适的数。

7＋6＝7＋（　　）＋（　　）＝10＋（　　）＝（　　）

9＋6＝9＋（　　）＋（　　）＝10＋（　　）＝（　　）

8＋5＝8＋（　　）＋（　　）＝10＋（　　）＝（　　）

8＋7＝8＋（　　）＋（　　）＝10＋（　　）＝（　　）

4＋7＝7＋（　　）＋（　　）＝10＋（　　）＝（　　）

3＋9＝9＋（　　）＋（　　）＝10＋（　　）＝（　　）

2.请在括号里填上合适的数。

5＋9＝（　　）　　　7＋7＝（　　）　　　9＋9＝（　　）

8＋4＝（　　）　　　6＋5＝（　　）　　　3＋8＝（　　）

5＋7＝（　　）　　　9＋4＝（　　）

○月○日

王牌例题 ②

计算：14－9＝　　　13－8＝

【思路导航】计算 14－9,减数是 9,个位不够减,先用 10－9＝1,1 与被减数个位上的 4 相加得 5。因此,我们在计算这道题时,可以直接用 4＋1＝5 来计算。计算 13－8 时,减数是 8,个位不够减,用 10－8＝2,3＋2＝5。

14－9＝4＋1＝5　　　13－8＝3＋2＝5

1.在括号里填上合适的数。

$12-6=2+($ $)=($ $)$

$15-9=5+($ $)=($ $)$

$14-7=4+($ $)=($ $)$

$11-5=1+($ $)=($ $)$

$17-8=7+($ $)=($ $)$

$16-9=6+($ $)=($ $)$

$12-7=2+($ $)=($ $)$

$15-8=5+($ $)=($ $)$

2.计算。

$16-8=$	$12-3=$	$11-4=$	$18-9=$
$10-4=$	$15-7=$	$12-8=$	$14-9=$
$18-8=$	$13-7=$	$14-6=$	$11-5=$

○ 月 ○ 日

王牌例题 ❸

计算：$2+7+8=$

【思路导航】计算 $2+7+8$ 时，我们发现如果把 7 与 8 交换一下顺序，先加 8，再加 7，就变成 $2+8+7$，$2+8=10$，$10+7=17$，这样算起来比较简便。

$2+7+8=2+8+7=10+7=17$

1. 找朋友（哪两个数相加的和是 10，用线连起来）。

1 8 7 2 5 6 9 3 4

2. 比一比，看谁算得更巧。

$1+8+9=$	$3+7+2=$	$4+2+8=$
$6+5+4=$	$6+5+5=$	$8+10+2=$
$7+5+3=$	$2+6+4=$	$9+7+1=$
$5+6+5=$	$9+2+8=$	$1+7+3=$

○月○日

王牌例题 ④

计算：$13+6-3=$ $12-5+8=$

【思路导航】计算 $13+6-3$ 时，如果先算 $13-3$，得到的差是整十数，再加上 6，这样计算比较简便。所以，$13+6-3$ 就变成 $13-3+6$，$13-3=10$，$10+6=16$。

计算 $12-5+8$ 时，我们发现如果先加 8，再减 5，就变成 $12+8-5$，$12+8=20$，$20-5=15$，这样计算会比较简便。

$13+6-3=13-3+6=10+6=16$

$12-5+8=12+8-5=20-5=15$

1.想一想,怎样计算简便。

$11+7-1=$　　　　　　　$18-6+2=$

2.计算。

$17+2-7=$　　　　　　　$14-5+6=$

○ 月 ○ 日

王牌例题 ⑤

计算:(1)$16-7-6=$　　　　(2)$18-9-8=$

【思路导航】仔细观察这两个算式,发现要减去的两个数中的一个数与被减数个位上的数相同,这时,可以先减这个数,使得数为 10,然后再减去另一个数,使计算简便。

(1)　　$16-7-6$
　　　　$=16-6-7$
　　　　$=10-7$
　　　　$=3$

(2)　　$18-9-8$
　　　　$=18-8-9$
　　　　$=10-9$
　　　　$=1$

举一反三 5

1.请你接着算。

(1)　　$12-6-2$
　　　　$=12-($　　$)-($　　$)$
　　　　$=($　　$)-($　　$)$
　　　　$=($　　$)$

(2)　14－5－4

$= 14 - ($　　$) - ($　　$)$

$= ($　　$) - ($　　$)$

$= ($　　$)$

2.计算。

14－8－4＝

15－7－5＝

11－3－1＝

13－5－3＝

17－8－7＝

火柴棒游戏(二)

专题简析

火柴棒不仅可以摆成各种有趣的图形,还可以组成有趣的算式,增、减或移动算式中的火柴棒,可以使算式发生奇妙的变化。

○月○日

王牌例题❶

下面的式子是否成立? 如果不成立,只许移动一根火柴棒,使等式成立。

$$7-1=2$$

【思路导航】左边算式的计算结果是 6,而右边是 2,所以应通过移动火柴棒,使左边减小而右边增大。

把左边的"7"变为"1",移一根火柴棒到"—"号上,使"—"变为"+",这样等式就成立了。

请你在每道算式上移动一根火柴棒,使等式成立。

1. 8+1=1   2. 1+4=3

○ 月 ○ 日

王牌例题 2

下面的式子是不成立的,现只许移动一根火柴棒,使等式成立。

14+7=1

【思路导航】左边算式的计算结果是21,而右边是1,所以应通过移动火柴棒,使左边减小而右边增大。

方法一:把左边的"十"号变为"一"号,左边的"‖"移到右边,使"‖"变成"7",等式成立。

14-7=7

方法二:把第一个加数"14"十位上的"‖"移到等号右边,等式也成立。

4+7=11

请你移动一根火柴棒,使等式成立。

1. 14+1=11   2. 11+7=2

王牌例题 ❸

下面算式是错误的，请你只移动一根火柴棒，使等号两边相等。

$$| + | + || = |$$

【思路导航】怎样移动其中一根火柴棒，使算式左边等于 1 呢？我们可以从第二个"＋"里拿出竖的那根火柴棒添在前面的两个 1 中任一个的十位上。

$$|| + | - || = |$$ 或 $$| + || - || = |$$

或 $$| - | + || = ||$$

举一反三 3

下面的算式是错误的，请移动一根火柴棒，使等号两边相等。

1. $$14 - | + | = 6$$

2. $$| + || + | + ||| = 4$$

王牌例题 ❹

只移动一根火柴棒，使下面算式成立。

$$14 + 7 - 4 = 11$$

【思路导航】因为 $14+7-4=17$，要使等号左边等于 11，应当采用多减少加的办法，而通过改变运算符号就能达到多减少加的目的。我们可以从"十"里拿出一根火柴棒放到"一"号上。

$$14 - 7 + 4 = 11$$

举一反三 4

只移动一根火柴棒，使下面算式成立。

1. $12 - 2 + 1 = 11$

2. $14 - 1 - 1 = 4$

○月○日

王牌例题 ⑤

只移动一根棒，使下面算式成立。

$$17 + 7 = 77 - 7$$

【思路导航】我们可以从等号右边的 77 中拿出一根火柴棒使它变成 17，然后把这根火柴棒添加到右边的"一"上变成"十"。我们还可以拿掉左边"十"中的一根，使"十"变成"一"，然后把这一根火柴棒放到"17"的十位的"1"上，变成"77"。

17 + 7 = 17 + 7

或 77 — 7 = 77 — 7

举一反三 5

只移动一根火柴棒,使算式成立。

1. 3 + 2 = 4 — 6

2. 7 — 2 = 3 — 0

第**30**周 小兔吃萝卜

小朋友已学会解答反映部分数量与总数量的相关关系的简单应用题,我们还要逐步学会把数学知识应用于生活实际,提高应用数学知识解决实际问题的能力。解答这类题时,小朋友要学会分析题中的条件和问题。

我们可以从已有的条件出发,根据问题,弄清它们之间的关系,确定正确的解题方法。

○月○日

王牌例题 ❶

李老师在批改作业,已经批改了 20 本,还剩 30 本没批改,李老师一共要批改多少本作业?

【思路导航】要求李老师一共要批改多少本作业,就要把批改了的 20 本和未批改的 30 本合起来,所以用加法计算。

20＋30＝50（本）

答：李老师一共要批改50本作业。

举一反三 1

1．池塘里有一群小鸭子在游泳，有5只上了岸，池塘里还剩12只，你知道池塘里原来有多少只小鸭子吗？

2．小明有一些邮票，给了小华15张后，还剩23张，你知道小明原来有多少张邮票吗？

○月○日

王牌例题 ②

爷爷家有15个萝卜，爷爷给家里的每只小兔喂1个萝卜，喂到最后，还剩下3个萝卜。问：爷爷家一共养了多少只小兔？

【思路导航】每只小兔喂1个萝卜，15个萝卜可以喂15只小兔，实际还剩3个萝卜，说明小兔的只数比15少3。要求爷爷家共养了多少只小兔，也就是求比15少3的数是多少，用减法计算。

15－3＝12（只）

答：爷爷家一共养了12只小兔。

举一反三 2

1．老师拿来20本书，发给教室里的小朋友每人一本，还剩4本。教室里共有多少个小朋友？

2.老师拿来 20 本书,发给教室里的小朋友每人一本,还缺 4 本。教室里共有多少个小朋友?

○月○日

王牌例题 ③

树上有 24 只鸟,飞来了 5 只,又飞走了 9 只,树上现在比原来少多少只鸟?

【思路导航】树上的鸟比原来少,因为飞走的是 9 只,而飞来的只有 5 只。飞来的比飞走的少 9－5＝4(只),这就是树上现在比原来少的只数。

9－5＝4(只)

答:树上现在比原来少 4 只鸟。

举一反三 3

1.公共汽车上原来有一些人,到站后有 5 人下车,又有 8 人上车,公共汽车上现在比原来多多少人?

2.小红参加旅游,和旅游团的每一个人合照一次相,她一共照了 19 次。这个旅游团共有多少个人?

○月○日

王牌例题 ④

有两根同样长的绳子,用去一些后,第一根绳子还剩下 4 米,第二根绳子还剩下 6 米。哪根绳子用去的多?多几米?

【思路导航】一根绳子用去的多,剩下的就少;相反,用去的少,剩下的就多。两根同样长的绳子,都用去一些后,第二根绳子剩下的比第一根绳子剩下的长些,说明第一根绳子用去的多,多的长度就是它所剩下的比第二根所剩下的少的长度。

6-4=2(米)

答:第一根绳子用去的多,多2米。

举一反三 4

1.有两根同样长的彩带,用去一些后,第一根彩带还剩10米,第二根彩带还剩8米。哪根用去的多?多几米?

2.小象、小猪、袋鼠、小马四个小动物参加跳远比赛,小象跳了7米,小猪跳了2米,袋鼠跳了13米,小马跳了10米,谁跳得最远?

○ 月 ○ 日

王牌例题 ⑤

小华买一支铅笔和一个卷笔刀共用去3元钱;小莉买一支同样的铅笔和一盒蜡笔共用去5元钱,一个卷笔刀和一盒蜡笔哪个贵?贵几元?

【思路导航】根据题意,可以列出下面两个等式:
一支铅笔的价格+一个卷笔刀的价格=3元
一支铅笔的价格+一盒蜡笔的价格=5元

小华和小莉都买了同样的一支铅笔,而小莉花的钱比小华多,说明一盒蜡笔比一个卷笔刀贵,贵2元。

　　　5－3＝2(元)

　　答:一盒蜡笔比一个卷笔刀贵,贵2元。

举一反三 5

　　1.琪琪买一本书和一支铅笔共用去8元钱;亮亮买了同样的一本书和一副三角板共用去9元钱。一支铅笔和一副三角板哪个贵?贵几元?

　　2.哥哥买了一支钢笔和一盒水彩笔共用去8元钱;妹妹买了同样的一支钢笔和一盒蜡笔共用去6元钱。一盒水彩笔和一盒蜡笔哪个贵?贵几元?

第31周 猫捉老鼠

专题简析

在我们的日常生活中,经常会遇到一些类似"猫捉老鼠"的十分有趣的数学问题。思考这类问题时,要联系我们的实际生活,如果不细心,你就可能落入"圈套"。解答这些题目,不仅能激发我们学习的兴趣,还能开发我们的智力,活跃我们的思维,使我们的头脑越来越灵活。

小朋友,这周所讲的这些题,非常有趣。兴趣是最好的老师,一旦你对数学产生了兴趣,有了学好数学的信心,你就有了克服困难的勇气和毅力。相信你会越来越喜欢数学的。

○月○日

王牌例题 ①

有10个小朋友在玩"猫捉老鼠"的游戏,现在已经捉到了 5 人。还有几个人没有被捉到?

【思路导航】在"猫捉老鼠"的游戏中,必须有一个人扮演猫,那么,另外的 9 个小朋友只能扮演老鼠。现在已经捉到了 5 人,那么,还剩下 4 个人没被捉到。

$$10-1=9(个)$$
$$9-5=4(个)$$

答:还有 4 个人没有被捉到。

举一反三 1

1.有 12 个小朋友在一起玩捉迷藏的游戏,现在已经捉到了 7 个人。还有几个人没有被捉到?

2.连长带着 10 名战士过河,已经有 6 名战士过了河,没过河的还有几个人?

○月○日

王牌例题 2

15 个小朋友分成两组做游戏,后来有 3 个小朋友从第一小组调到第二小组,现在共有多少个小朋友在做游戏?

【思路导航】有 3 个小朋友从第一小组调到第二小组,这时虽然第一小组少了 3 人,但第二小组却多了 3 人,所以做游戏的总人数没有变,现在仍然有 15 个小朋友在做游戏。

举一反三 2

1.两个盘子里共有 12 个苹果,从一个盘子里拿出 2 个放到另一个盘子里,现在两个盘子里共有多少个苹果?

2.把 20 只乒乓球放在两个袋子里,如果从第一个袋子里拿出 5 只放到第二个袋子里,这时两个袋子里一共有多少只乒乓球?

○月○日

王牌例题 3

一只船上坐着一家人。数一数,有两个爸爸,两个儿子。船上最少有几个人?

【思路导航】有的小朋友一看题马上会说船上应该是 4 个人,其实是不对的。因为船上坐的都是一家人。两个爸爸指的是:爷爷是父亲的爸爸,父亲是小孩的爸爸,也就是爷爷和父亲都当爸爸。两个儿子指的是:父亲是爷爷的儿子,小孩是父亲的儿子,也就是父亲和小孩都是儿子。其中父亲既当儿子又当爸爸,所以船上最少有 3 个人。

举一反三 3

1.一只船上坐着一家人。数一数,有两个妈妈,两个女儿。船上至少有几个人?

2.一天,一家人中三个爸爸、三个儿子一同去公园玩,他们至少有多少个人?

王牌例题 ④

小明和小亮买同一本书,小明缺1元5角,小亮缺1元3角。如果用他俩的钱合买这本书,钱正好。这本书的价钱是多少?他们各带了多少钱?

【思路导航】买同一本书,小明缺1元5角,小亮缺1元3角。若两人合买这本书,钱正好,说明小明所缺的钱正好是小亮所带的,小亮所缺的钱正好是小明所带的。所以,小亮带了1元5角,小明带了1元3角;这本书的价钱是2元8角。

1元5角+1元3角=2元8角

答:这本书的价钱是2元8角;小明带了1元3角钱,小亮带了1元5角钱。

举一反三 4

1.东东和华华买同一本《科学画报》,东东缺1元2角,华华缺1元4角。把他俩的钱合起来,正好是这本书的价钱。这本《科学画报》的价钱是多少?他们各带了多少钱?

2.方方和圆圆去买同一支钢笔。方方缺2元1角,圆圆缺2元4角。若用他俩的钱合买这支钢笔,钱正好。这支钢笔的价钱是多少?他俩各带了多少钱?

王牌例题⑤

一个正方形有 4 个角,剪去 1 个角,还剩几个角?

【思路导航】有些小朋友可能会这样想,4－1＝3,4 个角剪去 1 个角,当然还剩 3 个角。其实,因有不同的剪法,所以会产生不同的结果。

(1)这样剪: ,还剩 3 个角;

(2)这样剪: ,还剩 4 个角;

(3)这样剪: ,还剩 5 个角。

所以,根据三种不同的剪法,分别剩下 3 个角、4 个角或 5 个角。

举一反三 5

1.一块正方形木板,锯下一个角,还剩几个角?

2.长方形有 4 个角,剪下一个角,还剩几个角?

第32周　"＋""－"和"( )"

专题简析

　　我们已经知道,在数与数之间填上适当的运算符号,可以改变运算结果;在数与数之间填上括号,可以改变运算顺序。现在给你几个数,要求你在所给的数之间填上运算符号或括号,使等式成立。

　　小朋友,巧填运算符号是一种非常有趣的数学问题。在今后的学习中,我们还会遇到更为复杂的这类问题,这就需要我们多观察、多思考。你可以从结果出发,一步步大胆地去探索,巧妙地组成等式。

○月○日

王牌例题 1

　　在○里填上"＋"或"－",使等式成立。

　　(1)23○15＝8　　　(2)17○13＝30

　　【思路导航】通过观察,23 和 15 计算后的结果是 8,比 23

小,所以是 23－15＝8;17 和 13 计算后结果是 30,比 17 大了,所以是 17＋13＝30。

(1)23⊖15＝8　　　　(2)17⊕13＝30

举一反三 1

1. 在○里填上"＋"或"－",使等式成立。

15○12＝27　　　　　40○15＝25

21○7＝14　　　　　33○44＝77

2. 小猫钓鱼。

16○5＝11　　13○7＝20　　16○8＝24　　31○8＝23

14○17＝31　　42○9＝33

○月○日

王牌例题 2

在○里填上"＋"或"－",使等式成立。

12○5＝6○1

【思路导航】通过观察,我们发现,12 减 5 等于 7,6 加 1 也等于 7。所以,左○里填"－",右○里填"＋"。

12⊖5＝6⊕1

195

在○里填上"+"或"－",使等式成立。

1. 3○5＝10○2   15○5＝24○4

2. 8○8＝18○2   30○10＝40○20

王牌例题 ③

在所给的数之间填上"＋""－"或"(   )",使等式成立。

　　7　2　1＝8

【思路导航】这道题要求我们在所给的三个数 7、2、1 之间填上"＋""－"或"(   )",使算式的结果等于 8。我们可以这样想:

(1)把"8"作为两数之和。

由 7＋1＝8→7＋(2－1)＝8

(2)把"8"作为两数之差。

由 9－1＝8→7＋2－1＝8

在所给的数之间,填上"＋""－"或"(   )",使等式成立。

1. 8　4　3＝9　　　　5　6　3＝8

2. 9　5　2＝6　　　　10　3　2＝9

王牌例题❹

在 1、2、3、4 之间填上"＋"号（位置相邻的两个数字可以组成一个数），使它们的和等于 19。

1　2　3　4＝19

【思路导航】要求在数与数之间填上"＋"号，组成一个和为 19 的等式，先考虑如何组成一个与 19 接近又小于 19 的数，这个数只能是 12，再在余下的数之间填上"＋"号，使得它们的和等于 19。

12＋3＋4＝19

举一反三 4

1. 在 2、3、4、5 之间填上"＋"号（位置相邻的两个数字可以组成一个数），使它们的和等于 32。

2　3　4　5＝32

2. 在 1、2、3、4、5 之间填上"＋"号（位置相邻的两个数字可以组成一个数），使它们的和等于 51。

1　2　3　4　5＝51

王牌例题❺

在 4 个 3 之间填上"＋""－"或"（　　）"，使下面的算式成立。

$$3 \quad 3 \quad 3 \quad 3 = 0$$

【思路导航】我们知道,相同的数相减,差为零,如:$3-3$ $=0,6-6=0$……而 0 加 0 的和也为 0。由此可组成等式。

(1)$3+3-3-3=0$

(2)$3-3+3-3=0$

(3)$(3-3)+(3-3)=0$

(4)$(3+3)-(3+3)=0$

(5)$3+(3-3)-3=0$

……

举一反三 5

1.在 4 个 4 之间填上"$+$""$-$"或"( )",使下面的算式成立。

$$4 \quad 4 \quad 4 \quad 4 = 0$$

2.在 4 个 5 之间填上"$+$""$-$"或"( )",使下面的算式成立。

$$5 \quad 5 \quad 5 \quad 5 = 0$$

第33周 趣摸彩球

在我们的学习和生活中，有许多事情的发生是可以确定的，也有许多事情的发生是不确定的。"太阳从东边升起"，这件事我们可以确定它一定会发生，"太阳从西边升起"这件事我们可以确定它一定不会发生。而"明天会下雨"这件事就不能确定，它可能会发生，也可能不会发生。这些问题我们把它称为"可能性"。

宋朝的时候，有一位能征善战的大将名叫狄青。有一年，朝廷派狄青率军平定叛乱，但由于敌人出没不定，山高地陡，士兵的情绪低落，为了鼓舞士气，狄青想出了一个好办法。这天在誓师大会上，他说："如果我把一百枚铜钱撒在地面上，个个正面朝上的话，那我军必能战胜叛军，胜利凯旋。"只见他双手一撒，铜钱落地后果然个个正面朝上，战士们备受鼓舞。狄青率兵上了战场，战士们奋勇杀敌，果然取得了战争的胜利。同学们，你知道狄青为什么能把铜钱撒在地上，个个正面朝上呢？

事情发生的可能性有大有小，当袋中两种球数量相等时，任意摸一个，摸到两种球的可能性一样；当袋中两种球的数量不相等时，任意摸一个，摸到数量多的球的可能性就大，而摸到数量少的球的可能性就小。我们要注意虽然可能性小，但不是不可能发生，所以考虑几种可能发生的情况时要全面。

王牌例题❶

口袋里放着两个同样的乒乓球,闭上眼睛,任意从中摸一个。

(1)如果两个都放黄球,摸到的是什么颜色的球?

(2)如果两个都放白球,摸到的是什么颜色的球?

(3)如果放一个黄球和一个白球,摸到的可能是什么颜色的球?

【思路导航】通过试验,发现(1)当袋子里的两个球都是黄球时,摸到的一定是黄球;(2)当袋子里的两个球都是白球时,摸到的一定是白球;(3)当袋子里有一个黄球和一个白球时,任意摸一个,摸到黄球和白球的次数基本相同,也就是摸到白球和黄球的可能性基本相同。

举一反三 1

1.口袋里放着两枚同样的棋子,闭上眼睛任意摸一枚。

(1)如果两枚都放白棋子,摸到的可能是什么颜色的棋子?

(2)如果两枚都放黄棋子,摸到的可能是什么颜色的棋子?

(3)如果放一枚白棋子和一枚黄棋子,可能摸到什么颜色的棋子?

2.当箱子里放着 4 个白球和 4 个红球时,任意摸一个,可能摸到什么颜色的球?

○ 月 ○ 日

王牌例题②

当袋子里放着3个白球和1个黄球时,闭上眼睛,任意从袋子里摸一个球,会出现什么情况? 请你试试看。

【思路导航】通过试验,发现当袋子里有3个白球和1个黄球时(白球比黄球多),任意摸一个,摸到白球的次数比黄球的次数多,也就是摸到白球的可能性比摸到黄球的可能性大。

任意从袋子里摸一个球,很可能摸到白球,也有可能摸到黄球(可能性比较小)。

举一反三2

1. 当抽屉里放着5个红球和1个白球时,任意取一个球,摸到什么颜色的球可能性大些? 摸到什么颜色的球可能性小些?

2. 小红买彩票想得头奖,这件事的可能性怎样?

○ 月 ○ 日

王牌例题③

桌子上放着三只箱子,如下图,里面都装着10个球。如果任意摸一个,要想摸到黄球,从几号箱里摸?

7个黄球
3个白球
①

10个黄球
②

10个红球
③

【思路导航】①号箱里黄球多,白球少,任意摸一个,很可能是黄球。

②号箱里全部是黄球,任意摸一个,一定是黄球。

③号箱里全部是红球,任意摸一个,不可能是黄球。

从①号箱和②号箱里都有可能摸到黄球。从②号箱里任意摸一个,一定是黄球。

举一反三 3

1.猴妈妈有 4 个布袋,里面各放着 8 个苹果,其中 1 号袋、2 号袋各放了 4 个红苹果、4 个青苹果,3 号袋放了 8 个青苹果,4 号袋放了 8 个红苹果,小猴要想拿到一个红苹果,从几号袋里拿?

2.狄青究竟是用什么方法使铜钱落地后个个正面朝上的?

○月○日

王牌例题 ④

盒子里放着 3 只红袜子、1 只蓝袜子,任意取一只,可能是什么颜色的袜子? 任意取两只,可能是什么颜色的袜子?

【思路导航】任意取一只的可能性有两种。任意取两只,可能出现两种情况：一种取到的是 1 只红袜子、1 只蓝袜子；另一种取到的两只都是红袜子。

任意取一只，可能取到红袜子，也可能取到蓝袜子。任意取两只，可能取到 1 只红袜子、1 只蓝袜子或者取到两只红袜子。

举一反三 4

1.布袋中有 2 个红球，1 个白球，任意摸一个会是什么球？

2.玩具箱中有 4 只小熊，5 只小狗，任意拿两只，会有哪几种结果？

○月○日

王牌例题 ⑤

盒子里放着 3 只红袜子，1 只蓝袜子。如果要确保拿出颜色相同的一双，至少要取几只袜子？

【思路导航】先想任意取两只，会有什么情况。根据题意，任意取两只，会有两种情况：可能是 1 只蓝袜子、1 只红袜子，如果再取一只，就一定能保证有两只颜色一样的袜子了，这种情况需要取两次；还可能取一次，2 只都是红袜子。

至少要取 3 只袜子。

举一反三 5

1.盒子中装有红珠子 4 颗,白珠子 1 颗,至少拿出几颗就能保证有两颗颜色一样?

2.盒子中装有铅笔 4 支,钢笔 3 支,至少拿出几支笔就能确保有 2 支是一样的?

第34周 付钱的方法

　　在日常生活中,人们需要使用人民币,人民币的单位有元、角、分,常用的面值有下列种类:100元、50元、20元、10元、5元、2元、1元、5角、2角、1角、5分、2分、1分。小朋友已知道了1元＝10角,1角＝10分,但这还不够,因为有关元、角、分的趣题还有很多呢。比如:由于面值不同,付钱的方法也各不相同,人们常常要根据实际情况来选择一种简便的付钱方法。

　　买东西要付钱,因为人民币有多种面值,所以买东西付钱的方法也有很多种。例如买一本书,可以根据自己带的钱,有多种不同的付款方法,但在一般情况下,应选择一种较简便的方法。在题目中,如果让你排列出所有的付款方式,我们就要从大面值的人民币开始考虑,有顺序地进行组合,注意做到不重复、不遗漏。

王牌例题❶

买肉要付 6 元 5 角,下面有三种付钱的方法,你认为哪种付钱的方法最简便(其中,1 元、2 角和 5 角是纸币,1 角是硬币)?

第一种付钱方法:6 张 1 元,5 枚 1 角。

第二种付钱方法:3 张 2 元,2 张 2 角,1 枚 1 角。

第三种付钱方法:1 张 5 元,1 张 1 元,1 张 5 角。

【思路导航】哪种付钱的方法最简便,就要看纸币和硬币的张数(或个数)越少越好。我们来观察与分析上面三种付钱的方法,第一种付法:6 张 1 元,5 枚 1 角,要 6 张纸币,5 枚硬币。第二种付法:3 张 2 元,2 张 2 角,1 枚 1 角,要 5 张纸币,1 枚硬币。第三种付法:1 张 5 元,1 张 1 元,1 张 5 角,要 3 张纸币。现在,你该知道哪种付法简便了吧。

第一种付法:6 张纸币,5 枚硬币。

第二种付法:5 张纸币,1 枚硬币。

第三种付法:3 张纸币。

所以,第三种付钱的方法最简便。

举一反三 1

1.买一本书要付 7 元 3 角,下面哪种付钱的方法最简便(其中,1 元、2 角和 5 角是纸币,1 角是硬币)?

第一种付钱方法:2 张 2 元,3 张 1 元,3 枚 1 角。

第二种付钱方法:1 张 5 元,1 张 2 元,1 张 2 角,1 枚 1 角。

第三种付钱方法:3张2元,1张1元,3枚1角。

2.小英有1张10元,2张5元,6张2元,2张1元,1张5角,3张2角,6枚1角的纸币和硬币,她要买一盒12元6角的水彩笔,怎样付钱最方便?

王牌例题 ❷

小春带了1张5元纸币,4张2元纸币和8枚1元硬币。现在他要买8元钱一本的字典。问他有多少种付钱的方法。

【思路导航】为了使付钱的方法不重复、不遗漏,我们可以先考虑用或不用5元的纸币,然后再看2元的用几张,最后看1元的用几枚。

共有七种付法:

5元	2元	1元	
1	1	1	=8元
1		3	=8元
	1	6	=8元
	2	4	=8元
	3	2	=8元
	4		=8元
		8	=8元

举一反三 2

1.小亮有1枚1元、2枚5角和5枚1角的硬币,要买一支1元的铅笔,他有几种付钱的方法?

2.小丽有2张1元、5张2角的纸币和10枚1角的硬币,她要买2元一支的钢笔,有几种付钱的方法?

王牌例题 ③

小晖有 1 张 5 元的纸币和 4 枚 1 元、1 枚 5 角、2 枚 1 角的硬币。如果要买下面物品中的一种,他该怎样付钱?

5 元 5 角　　3 元 2 角　　　6 元　　　2 元 5 角　　4 元 2 角

【思路导航】用人民币去买自己所需要的物品是生活中最常见的数学问题。在买物品时,应根据自己带的钱的多少与面值,根据自己的实际情况去付钱。另外,付钱的方法很多,要选择最简单的付法。对于这道题来讲,付钱时,硬币的个数越少越好。

毛巾:1 张 5 元,1 枚 5 角。

墨水:3 枚 1 元,2 枚 1 角。

钢笔:1 张 5 元,1 枚 1 元。

茶杯:2 枚 1 元,1 枚 5 角。

牙膏:4 枚 1 元,2 枚 1 角。

举一反三 3

1. 小宁有 1 张 5 元、4 张 1 元、4 张 2 角的纸币和 8 枚 1 角的硬币,他要买一副乒乓球拍和一个乒乓球,一共有几种付钱方法?哪种付钱的方法最简便?

8 元　　　　　　6 角

2. 小洁有 3 张 10 元、2 张 5 元、1 张 1 元、3 张 2 角的纸币和 6 枚 1 角的硬币,他要买一副羽毛球拍和一个羽毛球,一共有几种付钱的方法?

30 元   1 元 6 角

○ 月 ○ 日

王牌例题 ④

小新给爷爷寄一封挂号信,需要贴 1 元的邮票。如果只有 5 角、2 角和 1 角三种面值的邮票,一共有多少种贴法?

【思路导航】为了使贴邮票的方法不重复、不遗漏,我们可以从大面值的邮票开始考虑。求一共有多少种贴法,可以把邮票的所有贴法通过不同的组合得到。

方法	5 角(张)	2 角(张)	1 角(张)
第一种	2	0	0
第二种	1	2	1
第三种	1	1	3
第四种	1	0	5
第五种	0	5	0
第六种	0	4	2
第七种	0	3	4
第八种	0	2	6
第九种	0	1	8
第十种	0	0	10

一共有十种贴法。

举一反三 4

1.小云要寄一封信,需贴 8 角的邮票,如果只有 2 角和 1 角两种面值的邮票,一共有多少种贴法?

2.小正要为自己的朋友寄一张生日卡片,如果只有 1 元、5 角、2 角、1 角面值的邮票,要在信封上贴 1 元 6 角的邮票,怎样贴最方便?

○月○日

王牌例题 5

超市搞促销,原来 4 元一袋的饼干,现在 4 元可以买 2 袋。要买 4 袋饼干,只要付多少钱?

【思路导航】原价 4 元一袋的饼干,现在 4 元可以买 2 袋,每袋是 2 元,要买 4 袋只要付 2+2+2+2=8(元)。也可以这样想:现在买 2 袋要付 4 元,那么买 4 袋就要付 4+4=8(元)。

举一反三 5

1.圆珠笔 2 元 1 支,商场搞促销,买 1 支再送 1 支,现在要买 4 支圆珠笔,要付多少元钱?

2.超市搞促销,原来 8 元一袋的洗衣粉,现在 8 元可以买 2 袋。现在买 4 袋洗衣粉要付多少元?

第35周 合理分组

专题简析

> 　　小朋友,给你几个数,要求你在加减运算的基础上,把所给的几个数进行合理分组,填入已列好的算式中,使等式成立。
>
> 　　"合理分组,巧填算式"是一种有趣的数学问题。小朋友要善于观察、分析所给的数,找出其中的规律,在此基础上,大胆地进行尝试。

○月○日

王牌例题 ❶

　　把1、2、3、4这四个数分别填入□里(每个数只能用一次),使等式成立。

$$□+□=□+□$$

　　【思路导航】把所给的四个数分成两组,使分得的两组数中的两数之和相等,从而组成等式。

211

把 1、2、3、4 这四个数分成两组,即 1、4 一组,2、3 一组。

可以这样填:$\boxed{1}+\boxed{4}=\boxed{2}+\boxed{3}$

也可以这样填:$\boxed{3}+\boxed{2}=\boxed{4}+\boxed{1}$

还有其他填法吗?请小朋友试一试。

举一反三 1

1.把 2、3、4、5 这四个数分别填入□里(每个数只能用一次),使等式成立。

$$\square+\square=\square+\square$$

2.把 3、5、7、9 这四个数分别填入□里(每个数只能用一次),使等式成立。

$$\square+\square=\square+\square$$

○月○日

王牌例题 2

把 3、4、5、6 这四个数分别填入□里(每个数只能用一次),使等式成立。

$$\square-\square=\square-\square$$

【思路导航】把所给的四个数分成两组,使分得的两组数中的两数之差相等,从而组成等式。

方法一:把 3、4、5、6 这四个数分成这样的两组:

第一组:4,3   第二组:6,5

每组数中两数之差为 1,可组成这样的等式:

$\boxed{4}-\boxed{3}=\boxed{6}-\boxed{5}$。

方法二:还可把这四个数分成这样的两组:

第一组:5,3   第二组:6,4

每组数中两数之差为2,可组成这样的等式:

$\boxed{5}-\boxed{3}=\boxed{6}-\boxed{4}$。

举一反三 2

1.把 5、6、7、8 这四个数分别填入□里(每个数只能用一次),使等式成立。

$$\Box-\Box=\Box-\Box$$

2.把 1、3、5、7 这四个数分别填入□里(每个数只能用一次),使等式成立。

$$\Box-\Box=\Box-\Box$$

〇月〇日

王牌例题 3

把 2、3、4、5 这四个数分别填入□里(每个数只能用一次),使等式成立。

$$\Box+\Box-\Box=\Box$$

【思路导航】根据 2+5=3+4,可以得到 8 种填法。

$\boxed{2}+\boxed{5}-\boxed{3}=\boxed{4}$ $\boxed{3}+\boxed{4}-\boxed{5}=\boxed{2}$

$\boxed{2}+\boxed{5}-\boxed{4}=\boxed{3}$ $\boxed{3}+\boxed{4}-\boxed{2}=\boxed{5}$

$\boxed{5}+\boxed{2}-\boxed{3}=\boxed{4}$ $\boxed{4}+\boxed{3}-\boxed{5}=\boxed{2}$

$\boxed{5}+\boxed{2}-\boxed{4}=\boxed{3}$ $\boxed{4}+\boxed{3}-\boxed{2}=\boxed{5}$

1. 把 3、4、5、6 这四个数分别填入□里（每个数只能用一次），使等式成立。

$$□+□-□=□$$

2. 把 3、5、7、9 这四个数分别填入□里（每个数只能用一次），使等式成立。

$$□+□-□=□$$

○月○日

王牌例题 ④

把 2、4、5、6、7、10 这六个数分别填入□里（每个数只能用一次），使下面两个等式同时成立。

$$□+□=□ \qquad □-□=□$$

【思路导航】可以把 2、4、5、6、7、10 这六个数分成下面的两组：

第一组：2，5，7；　　第二组：4，6，10

两组中，最大的数都等于其余两个数的和。可以根据加减法之间的关系，组成等式。

(1) $2+5=7$　　(2) $5+2=7$
$\quad 10-6=4$　　　$\quad 10-4=6$

(3) $4+6=10$　　(4) $6+4=10$
$\quad 7-5=2$　　　$\quad 7-2=5$

1.把 3、5、6、7、9、12 这六个数分别填入□里(每个数只能用一次),使下面两个等式同时成立。

$$□+□=□ \qquad □-□=□$$

2.把 2、6、7、8、9、14 这六个数分别填入□里(每个数只能用一次),使下面两个等式同时成立。

$$□+□=□ \qquad □-□=□$$

○ 月 ○ 日

王牌例题 ⑤

把 1、2、3、4、5、6、7、8 这八个数分别填入□里(每个数只能用一次),使等式成立。

$$□+□-□=□ \qquad □+□-□=□$$

【思路导航】八个数组成两个算式,且每个数只用一次,可先把这八个数分成两组,每组中都有四个数,这四个数中,每两个数的和应等于另外两个数的和,根据要求,再组成等式。

(1)根据 $1+4=2+3,5+8=6+7$ 来填写:

有 $\boxed{1}+\boxed{4}-\boxed{2}=\boxed{3}$ $\qquad \boxed{5}+\boxed{8}-\boxed{6}=\boxed{7}$ 等;

(2)根据 $1+7=3+5,2+8=4+6$ 来填写:

有 $\boxed{1}+\boxed{7}-\boxed{3}=\boxed{5}$ $\qquad \boxed{2}+\boxed{8}-\boxed{4}=\boxed{6}$ 等;

(3)根据 $1+8=2+7,3+6=4+5$ 来填写:

有 $\boxed{1}+\boxed{8}-\boxed{2}=\boxed{7}$ $\qquad \boxed{3}+\boxed{6}-\boxed{4}=\boxed{5}$ 等;

(4)根据 1＋6＝2＋5,3＋8＝4＋7 来填写：

有 $\boxed{1}$＋$\boxed{6}$－$\boxed{2}$＝$\boxed{5}$　　$\boxed{3}$＋$\boxed{8}$－$\boxed{4}$＝$\boxed{7}$等。

举一反三 5

1.把 3、4、5、6、7、8、9、10 这八个数分别填入□里(每个数只能用一次),使下面两个等式同时成立。

　　□＋□－□＝□　　□＋□－□＝□

2.把 1、3、5、7、8、10、12、14 这八个数分别填入□里(每个数只能用一次),使下面两个等式同时成立。

　　□＋□－□＝□　　□＋□－□＝□

第36周 天平平衡

专题简析

　　小朋友,通过前面的学习,我们已经掌握了比较简单的推理题。例如:1个西瓜和3个苹果一样重,1个苹果和3个橘子一样重,那么1个西瓜就和9个橘子一样重。

　　这就是最简单的推理题。学会推理,我们的思路会越来越开阔,头脑会越来越灵活。

　　根据已经知道的一些图形条件和一些等式,通过分析、判断、推理,最后得出结论,这个过程就是"逻辑推理"。

○月○日

王牌例题 ❶

　　下面两个天平都不平衡,你能动脑筋,想办法使它们平衡吗?

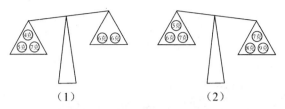

（1）　　　　　　　　（2）

【思路导航】（1）因为左边是 5＋7＋4＝16（克），右边是 6＋6＝12（克），右边比左边轻 16－12＝4（克），所以，要使左右平衡，可以从左边拿去④克或者给右边添上④克。

（2）因为左边是 5＋6＋7＝18（克），右边是 8＋7＋9＝24（克），右边比左边重 24－18＝6（克），要使左右平衡，右边必须去掉 3 克，左边必须添上 3 克，这样左右两边都是 21 克了。所以只要把右边的⑨克与左边的⑥克调换一下，天平左右两边就平衡了。

想一想，还可以怎样调换使天平左右两边平衡呢？

举一反三 1

1. 你能使下面两个天平都平衡吗？

（1）　　　　　　　　（2）

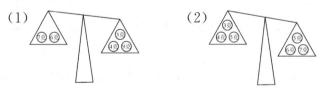

2. 一共有 8 个书包，如下图，左边放了 5 个书包，右边放了 3 个书包，要使左右两边书包的个数相等，你能想出什么办法呢？

王牌例题②

下图中,最后一个盘子里应放几粒玻璃球才能保持天平平衡?

【思路导航】如图所示,因为1个方块和1个苹果和9粒玻璃球一样重,而1个苹果和4粒玻璃球一样重,所以,从9粒玻璃球中去掉4粒玻璃球,剩下的5粒玻璃球就和1个方块一样重。

最后一个盘子里放5粒玻璃球,就能保持天平平衡。

举一反三2

1.第三个天平的空盘里放几块小方块才能保持天平平衡?

2.看图思考,最后一个盘子里应放几粒玻璃球才能保持天平平衡?

王牌例题 ③

看图分析,每个乒乓球重多少克?

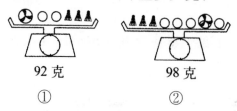

92 克　　　　　98 克

①　　　　　　　②

【思路导航】根据图①中的物品在图②中重复出现,可以判断,从 98 克中减去 92 克所得的差就是两个乒乓球的克数了。

(1)两个乒乓球重多少克?

98－92＝6(克)

(2)每个乒乓球重多少克?

6÷2＝3(克)

答:每个乒乓球重 3 克。

举一反三 3

1.

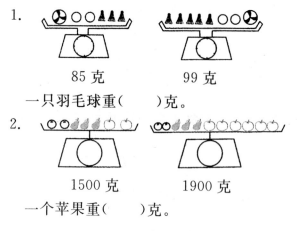

85 克　　　　　99 克

一只羽毛球重(　　　)克。

2.

1500 克　　　　　1900 克

一个苹果重(　　　)克。

王牌例题❹

已知:1 个西瓜和 1 个菠萝共重 8 千克,1 个西瓜和 1 把香蕉共重 9 千克,1 个菠萝和 1 把香蕉共重 5 千克。

那么:1 个西瓜重(　　)千克。

　　　1 个菠萝重(　　)千克。

　　　1 把香蕉重(　　)千克。

【思路导航】从三个等式中得出:2 个西瓜、2 个菠萝、2 把香蕉合起来重 8＋9＋5＝22(千克),那么,1 个西瓜、1 个菠萝、1 把香蕉合起来重 11 千克。然后就可以分别求出 1 个西瓜、1 个菠萝、1 把香蕉各有多重了。

11－8＝3(千克)…………1 把香蕉

11－9＝2(千克)…………1 个菠萝

11－5＝6(千克)…………1 个西瓜

举一反三 4

1.已知:1 只鸡和 1 只鸭共重 7 千克,1 只鸡和 1 只鹅共重 8 千克,1 只鸭和 1 只鹅共重 9 千克。

　　那么:1 只鸡重(　　)千克。

　　　　　1 只鸭重(　　)千克。

　　　　　1 只鹅重(　　)千克。

2.红球＋黑球＝20 个

　　红球＋白球＝16 个

　　黑球＋白球＝12 个

　　红球＝（　　　）个

　　黑球＝（　　　）个

　　白球＝（　　　）个

○月○日

王牌例题⑤

找出下式中各种图形代表的数。

1.△＋○＝12,△＝○＋○＋○,那么△＝（　　）,○＝（　　）。

2.○＋○＋○＋○＝△＋□,□＝△＋△,如果○＝3,那么△＝（　　　）,□＝（　　　）。

【思路导航】1.因为△＋○＝12,△＝○＋○＋○,那么○＋○＋○＋○＝12,所以○＝12÷4＝3,△＝12－3＝9。

2.因为○＝3,所以○＋○＋○＋○＝12;又因为○＋○＋○＋○＝△＋□,即△＋□＝12,又知□＝△＋△,那么△＋△＋△＝12,所以△＝12÷3＝4,□＝8。

1.△＝9,○＝3

2.△＝4,□＝8

找出下列图形所代表的数。

1. $\triangle + \triangle + \triangle = 18$，$\triangle + \bigcirc = 30$，$\bigcirc = ($ $)$。

2. $\bigcirc + \bigcirc = \square + \square + \square$，$\square + \square = \triangle + \triangle + \triangle$，$\bigcirc + \bigcirc + \square = ($ $)$个$\triangle$。

专题简析

> 我们用"凑十法"能很快地算出两个数相加的和是10。例如 $1+9=10,2+8=10,3+7=10,4+6=10,5+5=10$。巧用这些结果可以凑整,这样就可以使计算简便。
>
> 在做计算题之前,应该先观察、分析算式的特点以及数与数之间的关系,然后再采用合理改变运算顺序等多种方法进行凑整计算,这样才能算得又对又快,使计算简便。

○ 月 ○ 日

王牌例题 ❶

计算:$1+3+5+7+9$

【思路导航】如果按从左往右的顺序进行计算,不但麻烦,而且很容易算错。通过仔细观察算式中的各个加数,可

以发现 $1+9=10,3+7=10$，这样可以把能凑成 10 的数先加起来。

$$1+3+5+7+9$$

$$1+3+5+7+9$$
$$=10+10+5$$
$$=25$$

举一反三 1

1. 先把算式中和是 10 的两个加数用线连起来，再算出得数。

$$1+3+5+7+9+10=$$
$$2+4+6+8+10=$$

2. 计算。

$$1+5+9+15=$$
$$7+8+9+11+12+13=$$
$$1+3+5+7+10+13+15+17+19=$$
$$2+4+6+8+10+12+14+16+18=$$

○月○日

王牌例题 ②

计算：1. $15-7-3$　　2. $14-5-5$

【思路导航】计算连减的算式时，如果按从左往右的顺序进行计算，第一步就是退位减法，容易算错。如果认真分析算式就会发现，两次要减去的数合起来正好是整十数，这样

225

我们可以把要减去的两个数先合起来,然后一次减,这样做起来又对又快。

1. $15-7-3$
   $=15-10$
   $=5$

2. $14-5-5$
   $=14-10$
   $=4$

举一反三 2

1.在括号里填上合适的数使等式成立。

$10=($ 　　$)+($ 　　$)=($ 　　$)+($ 　　$)=($ 　　$)+$
$($ 　　$)=($ 　　$)+($ 　　$)=($ 　　$)+($ 　　$)$

2.看谁算得又对又快。

$13-4-6=$ 　　　　$15-7-3=$

$12-9-1=$ 　　　　$14-8-2=$

$15-6-4=$ 　　　　$11-2-8=$

$16-9-1=$ 　　　　$14-5-5=$

○月○日

王牌例题 3

计算:1. $38-9-18$ 　　2. $45-7-15$

【思路导航】仔细观察这些算式,发现要减去两个数中的一个数与被减数个位上的数相同,可以先减这个数,使得得到的差为整十数,然后再减去另一个数,使计算简便。

1. $38-9-18$
    $=38-18-9$
    $=20-9$
    $=11$

2. $45-7-15$
    $=45-15-7$
    $=30-7$
    $=23$

举一反三 3

1. 请你接着算。

$43-19-23$
$=43-(\quad)-(\quad)$
$=(\quad)-(\quad)$
$=(\quad)$

$27-9-7$
$=27-(\quad)-(\quad)$
$=(\quad)-(\quad)$
$=(\quad)$

2. 计算。

$95-9-35=$ $37-8-17=$

$76-13-56=$ $64-7-54=$

○月○日

王牌例题 4

计算：1. $56+23+44$ 2. $18+81+19$

【思路导航】认真观察三个加数的特征，可以发现其中的两个数能凑成整百数，就把它们先加起来，再和第三个数

227

相加。

1.　56＋23＋44
　　＝56＋44＋23
　　＝100＋23
　　＝123

2.　18＋81＋19　　　或　　　18＋81＋19
　　＝19＋81＋18　　　　　　　＝18＋(81＋19)
　　＝100＋18　　　　　　　　＝18＋100
　　＝118　　　　　　　　　　＝118

举一反三 4

1. 哪两个数相加的和是100,用线连起来。

　　43　26　71　54　15　67

　　29　85　33　57　74　46

2. 计算。

　　26＋37＋74　　　　　59＋72＋41
　　83＋62＋38　　　　　34＋76＋66
　　43＋52＋48　　　　　18＋75＋25

〇月〇日

王牌例题 5

计算:10－9＋8－7＋6－5＋4－3＋2－1

【思路导航】这道算式中有加有减,如果按从左往右的顺序进行计算,能得到结果,不过这样算比较费时,也不容易做对。可以把两个数作为一组,先一组一组算,然后再把每组的结果加起来,这样改变它的运算顺序,使计算简便。

$$10-9+8-7+6-5+4-3+2-1$$
$$=(10-9)+(8-7)+(6-5)+(4-3)+(2-1)$$
$$=1+1+1+1+1$$
$$=5$$

举一反三 5

1. 在□里填上合适的数。

$$6-5+4-3+2-1$$
$$=(□-□)+(□-□)+(□-□)$$
$$=□+□+□$$
$$=□$$

$$20-19+18-17+16-15+14-13$$
$$=(□-□)+(□-□)+(□-□)+(□-□)$$
$$=□+□+□+□$$
$$=□$$

2. 计算。

$$8-7+6-5+4-3+2-1=$$
$$12-11+10-9+8-7=$$
$$35-34+33-32+31-30=$$
$$96-95+94-93+92-91+90-89+88-87=$$

第38周 趣味问题

前面我们已经讨论过生活中的一些有趣的数学问题。其实,在我们的实际生活中,这类有趣的问题还不少呢! 在你动脑筋解决这些问题的同时,你就会变得越来越聪明。

小朋友,解题时,我们要认真审题,弄懂题目的意思,看清所问的问题,认真分析、正确解答。

○ 月 ○ 日

王牌例题 ①

有两根同样的蜡烛,第一根燃烧了7厘米,第二根燃烧了3厘米,哪一根剩下的长? 长几厘米?

【思路导航】两根同样的蜡烛,第一根比第二根剩下的少;第一根比第二根多燃烧了7-3=4(厘米),也就是第二根比第一根多剩下了4厘米。

1.两捆同样多的练习本,第一捆拿走了 15 本,第二捆拿走了 9 本,哪一捆剩下的多?多几本?

2.两根同样长的绳子,分别剪去一段,第一根剩下 17 米,第二根剩下 12 米,哪一根剪去的长?长多少米?

○月○日

王牌例题❷

有 3 块形状一样的饼干和一架天平,其中有两块饼干一样重,有一块饼干重一些,至少称几次就可以把这块重一些饼干找出来?

【思路导航】把这 3 块饼干分别表示为 1 号、2 号、3 号,先把 1 号和 2 号饼干放在天平上,如果它们中有一块较重,就可以直接找到了。如果两块一样重,那么 3 号就是那块比较重的。所以至少称 1 次就可以把这块饼干找出来。

举一反三 2

1.有 3 个形状差不多的苹果和一架天平,其中有两个苹果一样重,另一个苹果轻一些,至少称几次就可以把这个轻一些苹果找出来?

2.有 4 个形状一样的零件和一架天平,其中有一个零件重一些,至少称几次就可以把这个重一些零件找出来?

王牌例题❸▶

小丽用同样多的钱,分别买了 3 支铅笔和 2 本练习本。铅笔贵还是练习本贵?

【思路导航】用同样多的钱买不同的物品,买的数量越多,价钱也就越便宜。小丽用同样多的钱,买了 3 支铅笔和 2 本练习本,3 比 2 多,所以铅笔比练习本便宜。

答:铅笔便宜,练习本贵。

举一反三 3

1.芳芳用同样多的钱,买了 2 本练习本和 3 块橡皮,练习本和橡皮哪个贵?

2.妈妈买了 3 只茶杯和 2 只果盘,各用去 6 元钱。茶杯和果盘哪个贵?

王牌例题❹▶

一个小朋友吃一个面包需要 5 分钟,现在有 5 个小朋友,按同样的速度,同时吃 5 个同样的面包,需要几分钟?

【思路导航】思考这道题时,小朋友要弄懂"同时"的含义,"同时吃"也就是大家同一时刻开始吃。这样,问题就解决了。

一个小朋友吃一个面包需要 5 分钟,5 个小朋友同时吃 5 个同样的面包,也只需要 5 分钟。

1.一只猫吃一条小鱼,用5分钟吃完。按同样的速度,5只猫同时吃5条同样的小鱼,需要几分钟?

2.如果每人的步行速度相同,4个人一起从甲地走到乙地需要25分钟。那么,8个人一起从甲地走到乙地,需要多长时间?

○月○日

王牌例题⑤

小猴看到一辆旅游观光列车(如下图),数了数它有多少个轮子。小猴一个一个地数,一共有12个轮子。小朋友,小猴数得对吗?

【思路导航】小猴数得不对,它只看到了观光列车的一边,列车另一边的轮子虽然不能直接看到,但它的轮子个数和这一边是同样多的,也是12个,那么,这辆列车就一共有12+12=24(个)轮子。

举一反三 5

1.小明穿了一件新衣服,路上碰到了小胖,小明说:"小胖,算一算这件衣服用了多少个纽扣?你看正面有5个,每个袖子上还钉了3个纽扣。"小胖说:"太好算了,5+3=8(个)纽扣。"小明听了大笑起来,小胖算错了吗?错在哪里了?

2.美术组和舞蹈组共有20个小朋友,从美术组调2个小朋友到舞蹈组,现在两个小组共有多少个小朋友?

第39周　有几种走法

小朋友,我们外出可以乘坐不同的交通工具,两地之间也有不同的路线,究竟有多少种不同的走法,你能一一列举清楚吗?学习了下面的内容,你一定会有所收获的。

我们在思考此类问题时,要把所有的情况都考虑到,做到既不重复也不遗漏,这样才能正确解题。

○ 月 ○ 日

王牌例题 ①

从学校到汽车站有两条路可走,从汽车站到图书馆有一条路可走,从学校经过汽车站到图书馆,有几种不同的走法?

【思路导航】

从学校出发可以走①号线到汽车站后,再走③号线到图书馆;也可以走②号线到汽车站后,再走③号线到图书馆。这样就有两种走法。

从学校经过汽车站到图书馆,有两种不同的走法:
① → ③,② → ③

举一反三 1

1.小红从家到敬老院有两条路可走,从敬老院到公园也有两条路可走,小红从家经过敬老院到公园有几种不同的走法?

2.小英从家到书店有两条路可走,从书店到电影院有三条路可走,从家到书店再到电影院有几种不同的走法?

○月 ○日

王牌例题 2

从小华家到学校有三条路可走,从学校到公园有两条路可走,从小华家经过学校到公园,有几种不同的走法?

【思路导航】

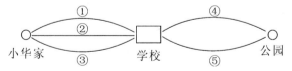

小华从家出发,如果先走①号线到学校,到校后可走④号线或⑤号线到公园,这样就有两种走法。如果走②号线到学校后,仍有④号、⑤号线这两种走法。如果先走③号线到学校后,还是有两种走法。这样一共有 2＋2＋2＝6(种)不同的走法。

①→④,②→④,③→④,①→⑤,②→⑤,③→⑤。共6种。

举一反三 2

1.从公园到城堡有两条路,从城堡到森林动物园有四条路,从公园经过城堡到森林动物园有几种不同的走法?

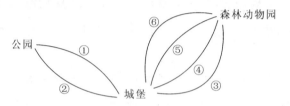

2.从甲地到乙地有三条路,从乙地到丙地有四条路,从甲地到乙地再到丙地有几种走法?

○月○日

王牌例题 3

一只蚂蚁从"1"爬到"4"(只能向上或向右爬行),有几种不同的走法?

【思路导航】根据只能向上、向右爬行,我们可以这样想:蚂蚁从"1"出发,如果先爬到"2",再从"2"可以经过"3"到"4",也可以经过"5"到"4",这样有两种走法。如果蚂蚁从

"1"出发，先爬到"6"，然后经过"5"到达"4"，有一种走法。这样一共有 2+1=3（种）不同的走法。

　　1→2→3→4，1→2→5→4，1→6→5→4。共 3 种走法。

举一反三 3

　　1. 小蜗牛从"1"爬到"5"（如右图，只能向上或向右爬行），有几种不同的路线？

　　2. 公园前门到后门只有这样几条汽车行驶路线（如下图所示），一辆汽车从前门到后门共有几种不同的走法（不能走重复的路）？

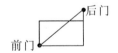

○月○日

王牌例题 4

　　班上举行乒乓球比赛，每一排推选一名代表，共 4 排，所以有 4 名同学参加比赛，每个人都要和另外三个人赛一场，这样一共要打几场乒乓球比赛？

　　【思路导航】我们可以分别用①、②、③、④来表示 4 个同学，先考虑①号同学，由于每个人都要和另外 3 个人赛一场，那么①号同学就要和②号、③号、④号同学各赛一场，这样要打 3 场比赛。再考虑②号同学，他已经与①号赛过，只要再

和③号、④号各赛一场,这样要打 2 场比赛,同样,③号同学还要和④号同学赛一场。即:

①→②   ①→③   ①→④

②→③   ②→④   ③→④

这样一共要打 3+2+1=6(场)乒乓球比赛。

举一反三 4

1.上海举行市足球比赛,共有 5 个队参赛,每队都要和另外 4 个队赛一场,这样一共要踢几场足球比赛?

2.4 个小伙伴在新年来临之前互相赠送贺年卡,这样一共要送出多少张贺年卡?

○月○日

王牌例题 ⑤

小明、小华和小军 3 个小朋友六一儿童节互相送贺卡,每人都要收到另外两个小朋友的贺卡,一共要送多少张贺卡?

【思路导航】我们可以分别用①、②、③来表示三个小朋友,先考虑①号小朋友,要给②号、③号各送一张,那就要送 2 张。同样的道理,②号、③号小朋友也要各送 2 张,这样三人一共要送 2+2+2=6(张)贺卡。也可以这样思考:①号小朋友会收到②号、③号送给他的 2 张贺卡,②号、③号小朋友也会分别收到另外两人送出的 2 张贺卡,这样他们一共会收到 2＋2＋2＝6(张)贺卡,那么他们也就一共需要送出 6 张贺卡。

举一反三 5

1.小红、小英和小丽 3 个小朋友,互相赠送照片留念,她们一共要送出多少张照片?

2.用数字 1、2、3 可以组成多少个不同的三位数?

第40周 鸡兔同笼

> 小朋友在解题时,会遇到一些较难的题目,这时可用画图的方法把题目的条件画出来再思考。你不妨试一试。
>
> 在有些数学题中,数量之间的关系不容易看出来。而画图却能比较清楚地显示出它们之间的数量关系。小朋友一定要学会这种帮助解题的好方法——画示意图法,这样能提高大家的动手能力和分析能力。

○ 月 ○ 日

王牌例题❶

笼子里关着一只鸡和一只兔,它们一共有几个头和几条腿?

【思路导航】一只鸡有一个头和两条腿,一只兔有一个头和四条腿。一只鸡和一只兔一共有 $1+1=2$(个)头,一共有2

＋4＝6(条)腿,也可以用图来表示,用"○"表示头,用"|"表示腿:

鸡: 兔:

1＋1＝2(个)   2＋4＝6(条)

答:它们一共有2个头和6条腿。

举一反三 1

1.笼子里有一只鸭和一只猫,它们一共有几个头和几条腿?

2.笼子里有一只小鸟和一只松鼠,它们一共有几个头和几条腿?

○月○日

王牌例题 2

小明家有2辆自行车和1辆轿车,一共有几个轮子?

【思路导航】我们用画圈的方法来画示意图:

自行车:

轿车:

一辆自行车有2个轮子,一辆轿车有4个轮子。

一共有2＋2＋4＝8(个)轮子。

举一反三 2

1.小华家有3辆自行车和2辆轿车,一共有几个轮子?

2.停车场有2辆轿车、3辆摩托车和2辆三轮车,一共有多少个轮子?

○月○日

王牌例题 ③

一个笼子里关着3只鸡和4只兔,它们一共有几个头和几条腿?

【思路导航】一只鸡有一个头和两条腿,一只兔有一个头和四条腿。3只鸡和4只兔一共有3+4=7(个)头,一共有2+2+2+4+4+4+4=22(条)腿。也可以用图来表示,用"○"表示头,用"|"表示腿:

鸡:○○○

兔:○○○○

3+4=7(个)

2+2+2+4+4+4+4=22(条)

答:它们一共有7个头和22条腿。

举一反三 3

1.树上有4只小鸟和3只松鼠,它们一共有几个头和几条腿?

2.笼子里有4只兔子和2只鹅,它们一共有几个头和几条腿?

王牌例题④

鸡、兔关在同一笼子里，共有 10 个头，28 条腿，笼子里有几只鸡？几只兔？

【思路导航】我们用"◯"表示头，画 10 个"◯"；"丨"表示腿，先全画成鸡：

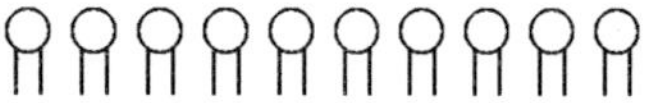

从图中可以看出，10 只鸡有 20 条腿，而条件中说"共有 28 条腿"，就少了 28－20＝8（条）腿，这样，在图中鸡的示意图上一只加两条腿，把它变成兔子，8 条腿添 4 次就可以了。

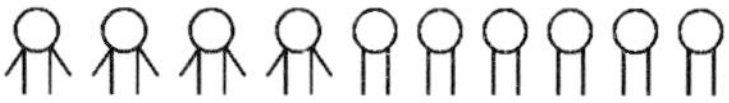

答：笼子里有 6 只鸡、4 只兔。

举一反三 4

1. 鸡兔同笼，共有 10 个头，30 条腿，有几只鸡？几只兔？

2. 鸡兔同笼，共有 14 个头，38 条腿，有几只鸡？几只兔？

王牌例题⑤

8 名女同学站成一排，每隔 2 名女同学插 3 名男同学，共有多少名男同学？

【思路导航】用"◯"表示女同学，用"△"表示男同学，每隔 2 个"◯"插 3 个"△"，示意图为：

男同学为:3＋3＋3＝9(名)

答:共有 9 名男同学。

举一反三 5

1. 10 名男同学站成一排,每隔 2 名男同学插 4 名女同学,共有多少名女同学?

2. 在公园花坛的四周摆了 8 盆月季花,每 2 盆月季花之间摆 2 盆菊花。问一共要摆多少盆菊花?

参考答案

举一反三 1

1. 3   7   5   9

2.

★★★★★   ★★★★☆   ★★★★★   ★★★★★

☆☆☆☆☆   ☆☆☆☆☆   ★★★☆☆   ★★☆☆☆

举一反三 2

1. 两个两个地数,2、4、6、8、10、12,共有(12)条腿。

2. 五个五个地数,5、10、15、20,共有(20)个手指头。

举一反三 3

1.   5   8   4   12

△△△△
△△

△△△△
△△△△

△△△△

△△△△△
△△△△△

2.

6	○○○○○○
9	○○○○○○○○○
3	○○○
10	○○○○○○○○○○

举一反三 4

1. 把 1 到 10 各点依次用线连接起来,是一颗五角星。

2.从左到右三个图案藏着的数字分别是：0、3、6、9、4、1、8、2、5、7
和 0、1、2、3、4、5、8、9。

举一反三 5

1.有 3 只大熊猫，每只大熊猫吃 1 棵竹笋，3 只大熊猫一共吃 3
棵竹笋，所以应该选有 3 棵竹笋的那一堆。

2.3 只杯子连 3 只杯盖。

5 个鸟笼连 5 只小鸟。

4 件衣服连 4 条裤子。

第 2 周

举一反三 1

1.5 个苹果连 5 个梨。7 个萝卜连 7 个蘑菇。9 朵花连 9 只
气球。

2.(1)〇〇〇〇　　　(2)△△△△△△△△△

　△△△△　　　　　〇〇〇〇〇〇〇〇〇

举一反三 2

1.(1)上面一行有 7 条鱼，下面一行有 6 条鱼，因此，上面画"√"，
下面画"〇"。

(2)上面一行有 6 个苹果，下面一行有 5 个梨，因此，上面画
"√"，下面画"〇"。

2.有 7 个苹果，4 个梨，6 个橘子，因此在苹果后的"□"内画"√"，
梨后的"□"内画"〇"。

举一反三 3

1.(1)●比〇多　　　〇比●少

(2)☆比□多　　　□比☆少

2.(1)△比〇多　　　〇比△少

246

(2) 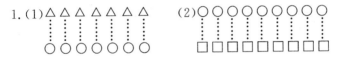比❤️少　　❤️比🧢多

举一反三 4

1. (1) ●比○多 1 个(√)　　　○比●少 1 个(√)

   (2) ☆比□少 1 个(√)　　　4 比 5 少 1(√)

   (3) ○比□少 3 个(√)　　　□比○多 3 个(√)

   7 比 4 多 3(√)　　　4 比 7 少 3(√)

2. (1) △比□少 <u>1</u> 个,3 比 4 少<u>1</u>。

   (2) ○比☆多 <u>5</u> 个,9 比 4 多<u>5</u>。

举一反三 5

1. (1) △ △ △ △ △ △
       ⋮ ⋮ ⋮ ⋮ ⋮ ⋮
       ○ ○ ○ ○ ○ ○

   (2) ○ ○ ○ ○ ○ ○ ○
       ⋮ ⋮ ⋮ ⋮ ⋮ ⋮ ⋮
       □ □ □ □ □ □ □

   注意:一个对着一个画。

2. (1) 有 5 个□,○要比 5 个□多 3 个,应画 8 个○。

   □ □ □ □ □

   ○ ○ ○ ○ ○ ○

   (2) 有 6 个◇,□要比 6 个◇少 2 个,应画 4 个□。

   ◇ ◇ ◇ ◇ ◇ ◇

   □ □ □ □

第 3 周

举一反三 1

1. 一共有 4 个人排队。小朋友排第一,叔叔排第四。

2. (略)

1. (1)

   (2)

2. 一共有(7)个水果。从左边数起,桃子排在第(1)个、第(3)个和第(6)个,桃子一共有(3)个;梨排在第(2)个、第(4)个、第(5)个和第(7)个,梨一共有(4)个。

举一反三 3

1. 一共有(9)个图形。从左边数起,△排在第(3)个,它的右边有(6)个图形;从右边数起,▭排在第(4)个,它的左边有(5)个图形。

2. 从左边数起,衣服排第(3)个;从右边数起,衣服排第(5)个;从右边数起,(雨伞)排第 4 个。

   把右边的 6 个物体圈起来。从右边数起,把电视机、花盆、杯子、雨伞、衣服、桌子圈起来。

举一反三 4

1. 一共有(10)张数字卡片。

   最左边一张数字卡片是(⬜2),最右边一张数字卡片是(⬜4)。

   从左边数起,数字卡片 ⬜5 是第(5)张,从右边数起,它是第(6)张。

   数字卡片 ⬜9 在(⬜6)和(⬜1)之间。

2. 从左边数起,苹果排第(4)个。从右边数起,苹果排第(6)个。梨在(南瓜)和(西瓜)之间。

   排在最中间的是(茄子),它左边有(4)个,右边有(4)个,它是左起第(5)个,右起第(5)个。

举一反三 5

1. 从左边数起,△排在第(9)个。

要想使它从左边数起排在第 10 个,也就是往后退 1 个位置,所以应在它的前面再画上(1)个○。

2.从左边数起,排在第(6)个。

要想使它从左边数起排在第 2 个,也就是向前移动了 4 个位置,所以应在它的前面去掉(4)个。

第 4 周

举一反三 1

1.(1)手表和钟都是计时的,它们是同一类。

(2)电视机和录音机都是电器,它们是同一类。沙发和椅子是同一类。

2.

举一反三 2

1.桃子、梨、苹果这三格都是水果,数量都是 4。杯子不是水果,而且数量是 6,所以,杯子那一格与其他三格不同。

2.第一行、第二行、第四行都是体育用品,数量是 5。而第三行衣服不属于体育用品,数量是 4,所以,第三行与其他三行规律不同。

举一反三 3

1.第一行都是 4 个点,第二行是都 2 个点,第四行都是 3 个点。第三行点的数量依次为 1、2、3、4,逐次加 1,所以,第三行的规律与其他三行不同。

2.第二行都是 2 个点,第三行都是 4 个点,第四行都是 5 个点。

第 1 行的点的数量依次为 2、3、4、5,逐次加 1,所以,最后一格填 6 个点。因此,第一行与其他三行规律不同。

举一反三 4

1.(1)第一行都是 3,第二行都是 5,第四行都是 2,每一行数字都相同。

第三行为 4、5、6、7,逐次加 1,因此,第三行与其他三行不同。

(2)第一行、第三行、第四行的数都是逐次加 1。

第二行的数是逐次加 2,因此,第二行与其他三行不同。

2.(1)第一行、第二行、第三行的数都是逐次加 1。

第四行的数是逐次减 1,因此,第四行与其他三行不同。

(2)第二行、第三行、第四行的数都是逐次加 2。

第一行的数是逐次减 2,所以,第一行与其他三行不同。

举一反三 5

1.按类别分:飞机、轮船、汽车是一类,蜻蜓、小鱼是一类。

按活动区域分:飞机、蜻蜓是一类。

轮船、小鱼是一类。

汽车是一类。

2.按数量分:4 个△、4 个▬、4 个☆、4 个●是一类。

5 个◢、5 个□是一类。

按颜色分：◖、▬、●是一类。

　　　　△、□、☆是一类。

举一反三 1

　　1.③和⑤

　　2.②和⑦

举一反三 2

　　1.②

　　2.⑤

举一反三 3

　　1.②

　　2.③

举一反三 4

　　1.①

　　2.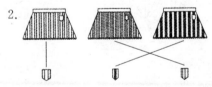

举一反三 5

　　1.③

　　2.A→图⑤重叠图③

　　　B→图⑤顺时针方向转 90°,重叠到图③

举一反三 1

　　1.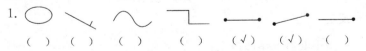

2.

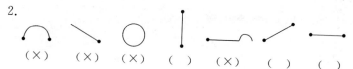

（×）　（×）　（×）　（　）　（×）　（　）　（　）

举一反三 2

1. 可以画出一条线段。

2. 每两点之间都可以连成 1 条线段，一共有 6 条线段。

举一反三 3

1. 图中共有 5 条线段。

2. 图中共有 9 条线段。

举一反三 4

1. 一共有 6 条线段。

　　以 A 为端点，有 AB、AC、AD，3 条。

　　以 B 为端点，有 BC、BD，2 条。

　　以 C 为端点，有 CD，1 条。

2. 一共有 10 条线段，可以这样数：

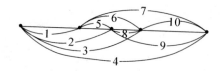

举一反三 5

1. 图中共有 8 条线段。

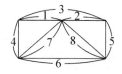

2.图中共有 10 条线段。

第 7 周

举一反三 1

1.可以一笔画成。

2.可以一笔画成。

举一反三 2

1.可以一笔画成,因为图中全是双数点。

2.可以一笔画成,因为图中全是双数点。

举一反三 3

1.可以一笔画成,因为这两幅图中各有 2 个单数点。

2.可以一笔画成,因为这两幅图中各有 2 个单数点。

举一反三 4

1.因为图中没有单数点,所以能一笔画成。

2.因为两幅图中都只有 2 个单数点,所以它们都可以一笔画成。

举一反三 5

1.图中 A、D 两点是单数点,出、入口可设在 A、D 两点。

2.可以从 C 门进,D 门出,或者从 D 门进,C 门出都能不重复地
走遍该商场的每条通道。

第 8 周

举一反三 1

1. 　2.

举一反三 2

1. 　2.

举一反三 3

1.⑥　　2.①

举一反三 4

1.可以从左边的方框内去掉 2 个○,或者给右边的方框内添上 2
个○,还可以从左边的方框内拿出 1 个○放入右边的方框内。

2.可以给左边添上 4 个○,或者从右边去掉 4 个○,还可以从右
边拿出 2 个○放入左边,这样两边○的个数就一样多了。

举一反三 5

1.5 节　2.7 节

第 9 周

举一反三 1

1.8＋6＝14(朵)　　答:她们一共做了 14 朵花。

2.4＋8＝12(只)　　答：现在动物园里共有 12 只猴子。

举一反三 2

1.12－4＝8(个)　　答：还剩 8 个。

2.10－4＝6(张)　　答：还剩 6 张。

举一反三 3

1.6＋6＝12(个)　　答：小明一共写了 12 个毛笔字。

2.10＋10＝20(个)　　答：两人一共买了 20 个梨。

举一反三 4

1.18－8＝10(只)　　答：飞走了 10 只鸟。

2.15－12＝3(本)　　答：李老师送给小明 3 本练习本。

举一反三 5

1.6＋4＝10(米)　　答：这根绳子短了 10 米。

2.8＋9＝17(页)　　答：小红两天一共看了 17 页。

第 10 周

举一反三 1

1.6　7

2.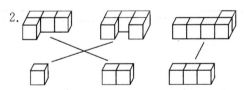

举一反三 2

1.5　7　　2.5　5

举一反三 3

1.6　8　　2.8　8

举一反三 4

1.9　8　　2.11　13

举一反三 5

    1. 10   15   2. 10   15

第 11 周

举一反三 1

1.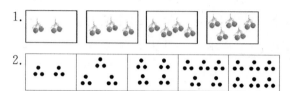

2.

举一反三 2

1.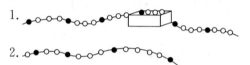

2.

举一反三 3

    1. □△○○□△○○□△○

    2. ○□□△△△○□□△△△○□□△△△

举一反三 4

    1. 上面一共有(2)个▱,(5)个▱,(3)个○,(3)个▭

2.

举一反三 5

1.   2.

第 12 周

举一反三 1

    1. 第②只猴走的路最长,画"○",第①只猴走的路最短,画"△"。

2.(1)③号线最长,①号线最短。

(2)③号线最长,在其旁画上"○"。

举一反三 2

1.②号铅笔最长。

2.③号铅笔最长。

举一反三 3

1.花猫最先抓到老鼠,白猫最后抓到老鼠。

2.①号线最长。

举一反三 4

1.小强、小军同时拿到草莓。

2.第③只兔子最先吃到萝卜。

举一反三 5

1.第③条线最长,第①条线最短。

2.第①幅图有 5 根小棒,第②幅图有 7 根小棒,第③幅图有 9 根
小棒。第③幅图用的小棒最多,所以长度最长。

第 13 周

举一反三 1

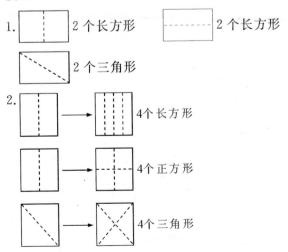

举一反三 2

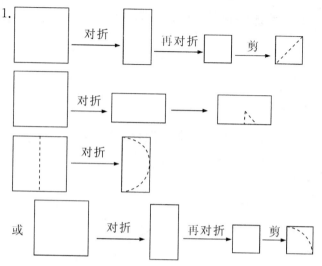

2.略。

举一反三 3

1.①和③　　2.①、③、⑤

举一反三 4

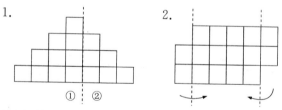

如图,剪成①②两部分,把②
拼在①的左上方。

举一反三 5

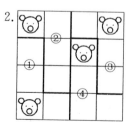

（略）

举一反三 1

    1. 正方形有 4 个, 圆有 12 个, 三角形有 4 个。

    2. ①由三角形和长方形组成, 三角形有 3 个, 长方形有 1 个。

    ②由三角形、长方形和圆组成, 三角形有 1 个, 长方形有 3 个,

      圆有 3 个。

    ③由三角形和圆组成, 三角形有 3 个, 圆有 3 个。

举一反三 2

    1. 6 个   7 个

    2. 6 个   12 个

举一反三 3

    1. 3 个   10 个

    2. 14 个

举一反三 4

    1. 3 个   5 个

    2. 5 个   9 个

举一反三 5

    1. 7 个   2. 8 个

举一反三 1

    1. (1)⑥—②—⑦   (2)⑧—③—④   (3)⑤—⑨—①

      (4)⑥—④—⑤   (5)⑩—③—②   (6)③—⑩—②

2. (1)⑩—⑤—③　　(2)⑧—⑧—②　　(3)④—②—⑫

　(4)④—⑥—⑧　　(5)⑤—①—⑫　　(6)⑨—⑧—①

举一反三 2

1. 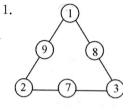　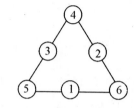

2. 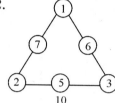　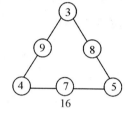

举一反三 3

1. 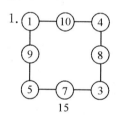　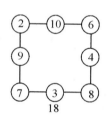

2.

6	12	2
4	5	11
10	3	7

20

10	15	5
15	10	5
5	5	20

30

举一反三 4

1.

	3	
4	5	6
	7	

2.

7	4	8
	6	
	9	

3	8	1
7		
2		

举一反三 5

1.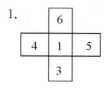

2.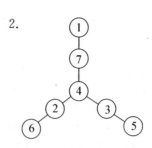

举一反三 1

1. 10 年后,妈妈比小佳大 24 岁。

2. 3 年前,小亮比爸爸小 30 岁。

举一反三 2

1. 今年表哥比小亮大 18－6＝12(岁)。

5 年后,小亮的表哥的岁数是 18＋5＝23(岁)。

5 年后,小亮的岁数是 6＋5＝11(岁)。

因此 5 年后,表哥比小亮大 23－11＝12(岁)。

2. 今年姐姐比小红大 12－8＝4(岁)。

5 年后,姐姐比小红还是大 4 岁。

举一反三 3

1. 今年,小东的阿姨的年龄是 5＋20＝25(岁)。

当小东 15 岁时,过了 10 年。小东的阿姨那时是 25＋10＝35(岁)。

2. 今年,爸爸的年龄是 75－30＝45(岁)。

当爷爷 60 岁时,是 15 年前,爸爸的年龄是 45－15＝30(岁)。

举一反三 4

1. 小红今年 6 岁,再过 14 年小红 20 岁。妈妈再过 14 年就是 46 岁。

$20-6=14$（年）　　　$32+14=46$（岁）

2. 小王今年 20 岁,5 年前小王是 15 岁。那么小何 5 年前应是 24 岁。

$20-15=5$（年）　　　$29-5=24$（岁）

举一反三 5

1. 今年,爸爸、妈妈的年龄合起来是 $40+38=78$(岁)。

当爸爸、妈妈两人的年龄合起来是 82 岁时,总年龄比今年的总年龄大了 $82-78=4$ (岁)。也就是爸爸大了 2 岁,妈妈大了 2 岁。这时,爸爸的年龄是 $40+2=42$(岁),妈妈的年龄是 $38+2=40$(岁)。

2. 今年,奶奶、妈妈和我三个人合起来的年龄是 $57+33+7=97$(岁)。当三个人的年龄之和是 100 岁时,三个人的年龄之和比今年三人的年龄之和大了 $100-97=3$ (岁)。也就是奶奶大了 1 岁,妈妈大了 1 岁,我大了 1 岁。这时,奶奶的年龄是 $57+1=58$(岁),妈妈的年龄是 $33+1=34$(岁),我的年龄是 $7+1=8$(岁)。

第 18 周

举一反三 1

1. (1)后一个数比它前面的一个数多 3。2、5、(8)、11、14、(17)

   (2)后一个数比它前面的一个数少 4。18、14、(10)、(6)、2

2. (1)3、5、7、(9)、11

   (2)3、6、(9)、12、(15)、(18)、(21)

   (3)(13)、11、9、7、(5)　　(4)7、11、15、(19)

   (5)20、18、16、(14)、12、(10)、(8)

   (6)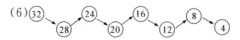

举一反三 2

1. (1) $1 \xrightarrow{+5} 6 \xrightarrow{+1} 7 \xrightarrow{+5} 12 \xrightarrow{+1} 13 \xrightarrow{+5} (18) \xrightarrow{+1} (19)$

   (2) $12 \xrightarrow{-1} 11 \xrightarrow{-2} 9 \xrightarrow{-1} 8 \xrightarrow{-2} 6 \xrightarrow{-1} 5 \xrightarrow{-2} (3) \xrightarrow{-1} (2)$

2. (1) $1 \xrightarrow{+1} 2 \xrightarrow{+2} 4 \xrightarrow{+3} 7 \xrightarrow{+4} 11 \xrightarrow{+5} (16)$

   (2) $90 \xrightarrow{-10} 80 \xrightarrow{-9} 71 \xrightarrow{-8} 63 \xrightarrow{-7} 56 \xrightarrow{-6} (50) \xrightarrow{-5} (45)$

   (3) $36 \xrightarrow{-2} 34 \xrightarrow{-1} 33 \xrightarrow{-2} 31 \xrightarrow{-1} 30 \xrightarrow{-2} (28) \xrightarrow{-1} (27)$

举一反三 3

1. (1) $3 \longrightarrow 4 \xrightarrow{3+4} 7 \xrightarrow{4+7} 11 \xrightarrow{7+11} 18 \xrightarrow{11+18} (29) \xrightarrow{18+29} (47)$

   (2) 5 7 8 7 11 7 (14) (7) （+3，+3，+3）

2. (1) $5 \longrightarrow 6 \xrightarrow{5+6} 11 \xrightarrow{6+11} 17 \xrightarrow{11+17} 28 \xrightarrow{17+28} (45) \xrightarrow{28+45}$

   (73)

   (2) 28 24 28 20 28 16 (28) (12) （−4，−4，−4）

举一反三 4

1. (1) 1 13 2 14 3 15 (4) (16) （+1 上，+1 下）

   (2) 35 30 31 26 27 (22) (23) （−5，+1，−5，+1，−5，+1）

2. (1) $5 \longrightarrow 4 \xrightarrow{-1} \ 4 \xrightarrow{+4} 8 \xrightarrow{-1} 7 \xrightarrow{+4} 11 \xrightarrow{-1} 10 \xrightarrow{+4} (14) \xrightarrow{-1} (13)$

   (2) $④ \xrightarrow{-1} ③ \xrightarrow{+3} ⑥ \xrightarrow{-1} ⑤ \xrightarrow{+3} ⑧ \xrightarrow{-1} ⑦ \xrightarrow{+3} ⑩ \xrightarrow{-1} ⑨ \xrightarrow{+3} ⑫$

举一反三 5

1. 在第一个△中,上面两个数的和等于下面一个数,如 $35+42=$

   77。所以,$42+38=80$,第 2 个△中的空格应填 80。其他依此类推。

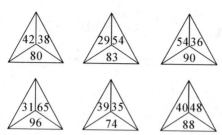

2. 根据连线,可以看出下面两个数相加得到上面一个数,如 20＋
15＝35,15＋9＝24。

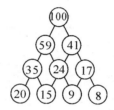

第 19 周

举一反三 1

　　1.1 个☆＝(9)个△

　　2.2 只羊 ←换→ (8)只兔

　　　 1 头猪 ←换→ (8)只兔

举一反三 2

　　1.1 个(◎)＝8 个○

　　2.3 支钢笔的价格＝(24)块橡皮的价格

举一反三 3

　　1.○＝(7)　△＝(13)　　　　2.○＝(14)　□＝(4)

举一反三 4

　　1.△＝(9)　○＝(4)　　　　2.□＝(7)　△＝(2)　○＝(3)

举一反三 5

1. △＝（4）　○＝（10）　　2. △＝（15）　○＝（5）

举一反三 1

1.（略）　2.（略）

举一反三 2

1. 　2. 　（共 10 根）

举一反三 3

1. 　2.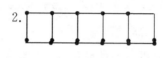

举一反三 4

1. 　2.

举一反三 5

1. 图中有 3 个三角形。

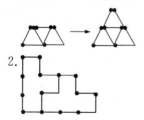

2.

举一反三 1

1. 苹果个数相等。　2. 白球和花球一样多。

举一反三 2

1.③号杯子里放入的铁块最小。

2.①号碗里放的是鸽子蛋,②号碗里放的是鹅蛋,③号碗里放的是鸡蛋。

举一反三 3

1.③号杯里的石头最小,因为③号杯里的水位下降最少。

2.②号瓶里的铁块最大,因为②号瓶中的水位下降最多。

举一反三 4

1.②号杯里的水最甜,因为②号杯里的水最少。

2.②号杯里的水最甜,因为②号杯里放的糖块最多。

举一反三 5

1.④号杯里放进去的糖最少。   2.②号杯里放进去的盐最多。

第 22 周

举一反三 1

1.从前往后数小猴是第 9 个。小羊后面有 4 只小动物。

2.小鸭咪咪的左边有 5 只小鸭子。从右往左数小鸭贝贝是第 8 个。

举一反三 2

1.3＋5＋1＝9(个)

答:一共有 9 个小朋友在排队买票。

2.4＋10＝14(只)

答:一共有 14 只小动物参加比赛。

举一反三 3

1.4＋5－1＝8(个)   答:一共有 8 个小朋友排队滑滑梯。

2.7＋6－1＝12(个)   答:一共有 12 个小朋友在排队。

举一反三 4

1. $15-8-1=6$(个)

答:排在小敏后面的有 6 个同学。

2. $12-4-1=7$(本)

答:《故事大王》的左边有 7 本书。

举一反三 5

1. $18-8+1=11$(盏)

答:从右往左数,兔子灯是第 11 盏。

2. $16-7+1=10$(个)

答:从前往后数,小鹿排第 10 个。

第 23 周

举一反三 1

1. 从第一行移 1 个○到第二行。

2. 从第二行移 3 个△到第一行。

举一反三 2

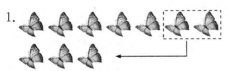

1.

从上面一行移 2 只蝴蝶到下面一行,两行的蝴蝶就一样多了。

2. $18-12=6$(块)　$6÷2=3$(块)

答:从第二堆移 3 块积木到第一堆,两堆积木就一样多了。

举一反三 3

1. ☆☆☆☆☆
☆☆☆☆☆

从上面一行移一个☆到下面一行,两行的☆就相差 2 个。(答

267

案不唯一）

2. △ △
　　△ △
　　△ △
　　△ △
　　△ △
　　△ △

从左边一列移 3 个△到右边一列,两列的△就相差 6 个。（答案不唯一）

举一反三 4

1. 应该给小白鸭 4 条鱼,给小灰鸭 1 条鱼。

2. ☆ ☆ ☆ ☆
　 ☆ ☆ ☆
　 ☆ ☆ ☆ ☆ ☆ ☆ ☆

把虚线框中的 6 个☆重新分配,使三行的☆一样多。只要从第三行移 1 个☆到第一行,移 2 个☆到第二行,三行的☆就一样多了。

举一反三 5

1. $8-1=7$（只）　　$7-1=6$（只）

答:第二盒原来有 6 只皮球。

2. $8-2=6$（支）　　$6-2=4$（支）

答:小明原来有 4 支铅笔。

第 24 周

举一反三 1

1.

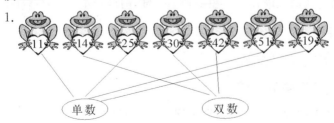

2.双数:60、88、32、64、36 单数:21、25、19、73、97

举一反三 2

1.(1)因为"双数－单数＝单数",所以括号里可以填大于 3 的任
意一个双数。

(2)因为"单数－单数＝双数",所以括号里可以填大于 3 的任
意一个单数。

(3)因为"单数＋单数＝双数",所以括号里可以填任意一个
单数。

(4)因为"双数＋单数＝单数",所以括号里可以填任意一个
单数。

2.(1)因为"双数＋双数＝双数",所以加数□中可以填任意一个
双数。

(2)因为"单数＋双数＝单数",所以加数□中可以填任意一个
单数。

(3)因为"单数－双数＝单数",所以被减数□中要填大于 90 的
任意一个单数。

举一反三 3

1.这筐苹果的个数是双数。

2.因为 1、3、5、7、9 的和是单数,所以 1、2、3、4、5、6、7、8、9、10 的
和是单数。

举一反三 4

1.3＋5＝8(下),8 是双数,所以灯是亮的。

2.通过找规律,发现公共汽车开双数次在东站,单数次在西站。
所以公共汽车开 11 趟之后,在西站。

举一反三 5

1.能这样分。因为每个班分的红花朵数是单数,那么 6 个单数相

加,总和是双数,而 18 朵是双数,所以能分。

2.不能这样分。因为要两个班分得的跳绳是单数,两个单数的和必然是双数,而 9 是单数,所以不能这样分。

第 25 周

举一反三 1

1.6－1＝5(次)

1×5＝5(分)

答:一共需要 5 分钟。

2.3－1＝2(次)

20÷2＝10(分)

答:每锯一次平均要用 10 分钟。

举一反三 2

1.3－1＝2

2÷2＝1(秒)

5－1＝4

1×4＝4(秒)

答:4 秒敲完。

2.4－1＝3

3÷3＝1(秒)

8－1＝7

1×7＝7(秒)

答:7 秒敲完。

举一反三 3

1.3－1＝2(层)

2÷2＝1(分)

$$6-1=5(层)$$

$$1\times5=5(分)$$

答:他从一楼到六楼需要 5 分钟。

2.$4-1=3(层)$

$$18+18+18=54(级)$$

答:他从一楼到四楼一共要走 54 级楼梯。

举一反三 4

1.$3+1=4(段)$

$$20+20+20+20=80(厘米)$$

答:原来这根木棒长 80 厘米。

2.$5+1=6(段)$

$$10+10+10+10+10+10=60(厘米)$$

答:原来这根钢管长 60 厘米。

举一反三 5

1.$6-1=5$

$$10+10+10+10+10=50(米)$$

答:第一面彩旗到第六面彩旗之间有 50 米。

2.$21-1=20(头)$

答:这条马路边一共有 20 头石狮子。

第 26 周

举一反三 1

1.灰兔跑得最快,白兔跑得最慢。

2.大班人数最多,中班人数最少。

举一反三 2

1.芳芳最大,阳阳最小。

2.小明买的铅笔最多,小红买的铅笔最少。

举一反三 3

1.丁跑得最快,丙跑得最慢。

2.小清、小红、小强、小琳

举一反三 4

1.甲姓黄,乙姓张,丙姓李。

2.小春分到红气球,小宇分到蓝气球,小华分到白气球。

举一反三 5

1.A是篮球运动员,B是足球运动员,C是排球运动员。

2.妹妹一定能猜对。

第 27 周

举一反三 1

1.(1)快＝(2)　乐＝(5)　(2)欢＝(5)　笑＝(3)

2.光＝(2)　明＝(3)

举一反三 2

1.(1)△＝(6)　☆＝(5)　(2)□＝(5)　⊙＝(2)

2.♡＝(6)　☆＝(7)

举一反三 3

1.
```
    6  5
-   4  2
─────────
    2  3
```

2.
```
    9  8
-   3  4
─────────
    6  4
```

举一反三 4

1.
```
    7  2
-   3  5
─────────
    3  7
```

2.
```
    8  4
-   5  9
─────────
    2  5
```

举一反三 5

　　1. 幸＝(6)　　福＝(3)　　好＝(5)

　　2. 爱＝(7)　　学＝(3)　　习＝(9)

第 28 周

举一反三 1

　　1. 7＋6＝7＋(3)＋(3)＝10＋(3)＝(13)

　　　9＋6＝9＋(1)＋(5)＝10＋(5)＝(15)

　　　8＋5＝8＋(2)＋(3)＝10＋(3)＝(13)

　　　8＋7＝8＋(2)＋(5)＝10＋(5)＝(15)

　　　4＋7＝7＋(3)＋(1)＝10＋(1)＝(11)

　　　3＋9＝9＋(1)＋(2)＝10＋(2)＝(12)

　　2. 14　　14　　18

　　　12　　11　　11

　　　12　　13

举一反三 2

　　1. 12－6＝2＋(4)＝(6)

　　　15－9＝5＋(1)＝(6)

　　　14－7＝4＋(3)＝(7)

　　　11－5＝1＋(5)＝(6)

　　　17－8＝7＋(2)＝(9)

　　　16－9＝6＋(1)＝(7)

　　　12－7＝2＋(3)＝(5)

　　　15－8＝5＋(2)＝(7)

　　2. 8　9　7　9

　　　6　8　4　5

　　　10　6　8　6

举一反三 3

1.

1　8　7　2　5　6　9　3　4

2. 18　12　14

　　15　16　20

　　15　12　17

　　16　19　11

举一反三 4

1. $11+7-1=11-1+7=10+7=17$

　$18-6+2=18+2-6=20-6=14$

2. $17+2-7=17-7+2=10+2=12$

　$14-5+6=14+6-5=20-5=15$

举一反三 5

1. (1)　$12-6-2$

　　　$=12-(2)-(6)$

　　　$=(10)-(6)$

　　　$=(4)$

　(2)　$14-5-4$

　　　$=14-(4)-(5)$

　　　$=(10)-(5)$

　　　$=(5)$

2. $14-8-4=2$

　$15-7-5=3$

　$11-3-1=7$

　$13-5-3=5$

　$17-8-7=2$

第 29 周

举一反三 1

1. 把"＋"中的"丨"移到"＋"后面的"丨"上,得 $8-7=1$。

2. 把"＋"中的"丨"移到"丨"上,得 $7-4=3$。

举一反三 2

1. 把"14"十位上的"丨"移到加数"丨"上,变成7,得 $4+7=11$。

2. 把"7"上的"一"移到等号右边,变成"12",得 11＋1＝12。

举一反三 3

1. 把"14"十位上的"｜"移到"一"号上,得 4＋1＋1＝6。

2. 把"11"中的"｜"移到"111"中间的"｜"上,变成"＋",得 1＋1＋1＋1＝4。

举一反三 4

1. 把"12"的"｜"移到"一"号上,得 2＋2＋7＝11。

2. 把"14"十位上的"｜"移到"一"上,得 4＋1－1＝4。

举一反三 5

1. 把左边"2"的"一"移到右边"一"上,得 3＋7＝4＋6。

2. 把左边的"7"的"一"移到 7 后的"一"上,得 1＋2＝3－0。

第 30 周

举一反三 1

1. 5＋12＝17(只)　答:池塘里原来有 17 只小鸭子。

2. 15＋23＝38(张)　答:小明原来有 38 张邮票。

举一反三 2

1. 20－4＝16(个)　答:教室里共有 16 个小朋友。

2. 20＋4＝24(个)　答:教室里共有 24 个小朋友。

举一反三 3

1. 8－5＝3(人)　　答:公共汽车上现在比原来多 3 人。

2. 19＋1＝20(个)　答:这个旅游团共有 20 个人。

举一反三 4

1. 10－8＝2(米)　　答:第二根彩带用去的多,多 2 米。

2. 因为 13＞10＞7＞2,所以袋鼠跳得最远,然后依次是小马、小象、小猪。

举一反三 5

1. 9－8＝1(元)　　答:一副三角板比一支铅笔贵,贵 1 元。

2.8－6＝2(元)　答:一盒水彩笔比一盒蜡笔贵,贵2元。

第 31 周

举一反三 1

1.12－1－7＝4(个)　答:还有 4 个人没有被捉到。

2.10＋1－6＝5(个)　答:没过河的还有 5 个人。

举一反三 2

1.现在两个盘子里共有 12 个苹果。

2.这时两个袋子里一共有 20 只乒乓球。

举一反三 3

1.船上至少有 3 个人。分别是祖母、妈妈、女儿。

2.他们至少有 4 个人,分别是曾爷爷、爷爷、爸爸、儿子。

举一反三 4

1.1 元 2 角＋1 元 4 角＝2 元 6 角

　答:这本《科学画报》的价钱是 2 元 6 角;东东带了 1 元 4 角钱,
　华华带了 1 元 2 角钱。

2.2 元 1 角＋2 元 4 角＝4 元 5 角

　答:这支钢笔的价钱是 4 元 5 角;方方带了 2 元 4 角钱,圆圆带
　了 2 元 1 角钱。

举一反三 5

1.可能剩下 3 个角、4 个角或 5 个角。

2.可能剩下 3 个角、4 个角或 5 个角。

第 32 周

举一反三 1

1.15⊕12＝27　　40⊖15＝25

　21⊖7＝14　　33⊕44＝77

2.

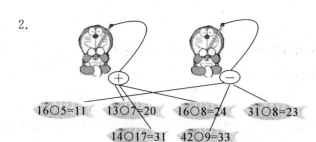

$16○5=11$ $13○7=20$ $16○8=24$ $31○8=23$

$14○17=31$ $42○9=33$

举一反三 2

1. $3⊕5＝10⊖2$ $15⊕5＝24⊖4$

2. $8⊕8＝18⊖2$ $30⊖10＝40⊖20$

举一反三 3

1. $8+4-3=9$ $5+6-3=8$ 2. $9-5+2=6$ $10-3+2=9$

举一反三 4

1. $23+4+5=32$ 2. $1+2+3+45=51$

举一反三 5

1. $4+4-4-4=0$ 2. $5+5-5-5=0$

$4-4+4-4=0$ $5-5+5-5=0$

$(4+4)-(4+4)=0$ $(5+5)-(5+5)=0$

$4+(4-4)-4=0$ $(5-5)+(5-5)=0$

……   ……

第 33 周

举一反三 1

1.(1)摸到的一定是白棋子。

(2)摸到的一定是黄棋子。

(3)可能摸到白棋子,也可能摸到黄棋子。

2.可能摸到白球,也可能摸到红球。

举一反三 2

1. 摸到红球可能性大些,摸到白球的可能性小些。

2. 可能性很小。

举一反三 3

1. 从 1 号袋、2 号袋和 4 号袋中都有可能拿到红苹果,从 4 号袋中拿一个,一定是红苹果。

2. 狄青的铜钱两面都是正面。

举一反三 4

1. 任意摸一个可能是红球,也可能是白球。

2. 有 3 种结果:第一种两只都是小熊;第二种两只都是小狗;第三种是一只小熊、一只小狗。

举一反三 5

1. 至少拿出 3 颗。

2. 如果取两支,可能是一支钢笔、一支铅笔。取 3 支笔就能保证有两支是一样的。

第 34 周

举一反三 1

1. 第一种付法:5 张纸币、3 枚硬币。第二种付法:3 张纸币、1 枚硬币。第三种付法:4 张纸币、3 枚硬币。因此,第二种付法最简便。

2. 付 1 张 10 元、1 张 2 元、1 张 5 角、1 枚 1 角最方便。

举一反三 2

1. 有三种付钱方法。

方法一:付 1 枚 1 元的。

方法二:付 2 枚 5 角的。

方法三:付 1 枚 5 角和 5 枚 1 角的。

2. 有八种付钱方法：

1元	2角	1角
2		
1	5	
1	4	2
1	3	4
1	2	6
1	1	8
1		10
	5	10

举一反三 3

1.

5元	1元	2角	1角
1	3	3	
1	3	2	2
1	3	1	4
1	3		6
1	2	4	8

第一种方法最简便。

2. 有八种付钱方法。

方法一:3张10元、1张1元、3张2角；

方法二:3张10元、1张1元、6枚1角；

方法三:3张10元、1张1元、1张2角、4枚1角；

方法四:3张10元、1张1元、2张2角、2枚1角；

方法五:2张10元、2张5元、1张1元、3张2角；

方法六:2张10元、2张5元、1张1元、6枚1角；

方法七:2张10元、2张5元、1张2角、4枚1角；

方法八:2张10元、2张5元、2张2角、2枚1角。

举一反三 4

1. 一共有五种贴法：

2 角	1 角
4	0
3	2
2	4
1	6
0	8

2. 贴 1 张 1 元的, 1 张 5 角的, 1 张 1 角的最方便。

举一反三 5

1. $2+2=4$(元)

   答:买 4 支圆珠笔要付 4 元。

2. $8+8=16$(元)

   答:现在买 4 袋洗衣粉要付 16 元。

第 35 周

举一反三 1

1. $2+5=3+4$

2. $3+9=5+7$

举一反三 2

1. $7-5=8-6$ 或 $8-7=6-5$

2. $5-1=7-3$ 或 $7-5=3-1$

举一反三 3

1. $3+6-4=5$ $6+3-4=5$ 2. $3+9-5=7$ $9+3-5=7$

   $3+6-5=4$ $6+3-5=4$ $3+9-7=5$ $9+3-7=5$

   $4+5-3=6$ $5+4-3=6$ $5+7-3=9$ $7+5-3=9$

   $4+5-6=3$ $5+4-6=3$ $5+7-9=3$ $7+5-9=3$

举一反三 4

1. (1)$3+6=9$ $12-5=7$ (2)$6+3=9$· $12-7=5$

(3)$5+7=12$　$9-3=6$　　(4)$7+5=12$　$9-6=3$

2.(1)$2+7=9$　$14-6=8$　(2)$7+2=9$　$14-8=6$

(3)$6+8=14$　$9-7=2$　(4)$8+6=14$　$9-2=7$

举一反三 5

1.(1)$3+6-4=5$　　$7+10-8=9$

(2)$3+10-4=9$　$5+8-6=7$

(3)$3+9-5=7$　　$4+10-6=8$

(4)$3+8-4=7$　　$5+10-6=9$ 等

2.(1)$1+14-3=12$　$5+10-7=8$

(2)$1+12-5=8$　$3+14-7=10$

(3)$1+7-3=5$　　$8+14-10=12$

(4)$1+10-3=8$　$5+14-7=12$ 等

第 36 周

举一反三 1

1.(1)右边去掉⑤克或给左边添上⑤克,天平就能平衡。

(2)左边的③克和右边的⑥克调换一下,或者将左边的④克和右边的⑦克调换一下,天平就能平衡。

2.将左边的 1 个书包移到右边,左右两边书包的个数就相等了。

举一反三 2

1.第三个天平的空盘里放 4 块小方块,才能保持天平平衡。

2.最后一个盘子里应放 6 粒玻璃球,才能保持天平平衡。

举一反三 3

1.$99-85=14$(克)　$14÷2=7$(克)

答:一个羽毛球重(7)克。

2.$1900-1500=400$(克)　$400÷4=100$(克)

答:一个苹果重(100)克。

举一反三 4

1. 7＋8＋9＝24(千克)

   24÷2＝12(千克)

   1只鹅：12－7＝5(千克)

   1只鸭：12－8＝4(千克)

   1只鸡：12－9＝3(千克)

2. 20＋16＋12＝48(个)

   48÷2＝24(个)

   白球：24－20＝4(个)

   黑球：24－16＝8(个)

   红球：24－12＝12(个)

举一反三 5

1. ○＝24   2. ○＋○＋□＝(6)个△

第 37 周

举一反三 1

1. 35 30   2. 30 60 90 90

举一反三 2

1. 10＝(1)＋(9)＝(2)＋(8)＝(3)＋(7)＝(4)＋(6)＝(5)＋(5)

2. 3 5 2 4 5 1 6 4

举一反三 3

1. 43－19－23   27－9－7

    ＝43－(23)－(19)   ＝27－(7)－(9)

    ＝(20)－(19)   ＝(20)－(9)

    ＝(1)   ＝(11)

    2. 51 12 7 3

举一反三 4

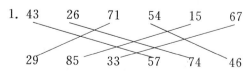

43   26   71   54   15   67

29   85   33   57   74   46

2. 137　172　183　176　143　118

举一反三 5

1. $6-5+4-3+2-1$

    $=(6-5)+(4-3)+(2-1)$

    $=1+1+1$

    $=3$

      $20-19+18-17+16-15+14-13$

    $=(20-19)+(18-17)+(16-15)+(14-13)$

    $=1+1+1+1$

    $=4$

2. 4　3　3　5

第 38 周

举一反三 1

1. $15-9=6$(本)

   答:第二捆剩下的多,多 6 本。

2. $17-12=5$(米)

   答:第二根剪去的长,长 5 米。

举一反三 2

1. 至少称一次就可以把这个轻一些苹果找出来。

2. 至少称两次就可以把这个重一些零件找出来。

举一反三 3

1. 练习本贵。

2. 果盘贵。

举一反三 4

1. 需要 5 分钟。

2. 需要 25 分钟。

举一反三 5

1. 一件衣服有两只袖子,所以应该有 $5+3+3=11$(个)纽扣。

2.两个小组还是共有 20 个小朋友。

第 39 周

举一反三 1

1.

有 4 种不同的走法：① → ③，② → ③，① → ④，② → ④

2.

有 6 种不同的走法：① → ③，① → ④，① → ⑤，② → ③，② → ④，
② → ⑤

举一反三 2

1.共有 8 种不同的走法：

① → ⑥，① → ⑤，① → ④，① → ③

② → ⑥，② → ⑤，② → ④，② → ③

2.

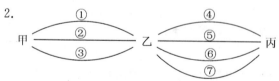

有 12 种不同的走法：

① → ④，① → ⑤，① → ⑥，① → ⑦，② → ④，② → ⑤，② → ⑥，② →
⑦，③ → ④，③ → ⑤，③ → ⑥，③ → ⑦。

举一反三 3

1.小蜗牛从"1"爬到"5"，共有两种不同的走法。

1→2→5，1→6→5。

2.汽车从前门到后门共有 6 种走法。

举一反三 4

1.用①、②、③、④、⑤分别表示 5 个队，一共要踢 10 场足球比

赛,即:

①→②,①→③,①→④,①→⑤,②→③,②→④,②→⑤,

③→④,③→⑤,④→⑤。

2.一共要送出 12 张贺年卡。

举一反三 5

1.2+2+2＝6(张)

答:她们一共要送出 6 张照片。

2.先考虑百位上是 1 的数,有 123 和 132 两个;再考虑百位上是
2 的数,有 213 和 231 两个;最后,百位上是 3 的有 312 和 321
两个。

可以组成 6 个三位数:123、132、213、231、312、321。

第 40 周

举一反三 1

1.1+1＝2(个)

2+4＝6(条)

答:它们一共有 2 个头和 6 条腿。

2.1+1＝2(个)

2+4＝6(条)

答:它们一共有 2 个头和 6 条腿。

举一反三 2

1.2+2+2+4+4＝14(个)

答:一共有 14 个轮子。

2.4+4+2+2+2+3+3＝20(个)

答:一共有 20 个轮子。

举一反三 3

1.4+3＝7(个)

2+2+2+2+4+4+4＝20(条)

答:它们一共有 7 个头和 20 条腿。

2.4＋2＝6(个)

4＋4＋4＋4＋2＋2＝20(条)

答：它们一共有 6 个头和 20 条腿。

举一反三 4

1.有 5 只鸡,5 只兔。

2.有 9 只鸡,5 只兔。

举一反三 5

1.用"○"表示女同学,用"△"表示男同学,每隔 2 个"△"插入 4 个"○",示意图为：

女同学为:4＋4＋4＋4＝16(名)

答：共有 16 名女同学。

2.用"○"表示月季花,用"△"表示菊花,示意图为：

2＋2＋2＋2＋2＋2＋2＋2＝16(盆)

答：一共要摆 16 盆菊花。